CATHERINE MISSONNIER

OPÉRATION CALEÇON AU CE2

ILLUSTRATIONS DE
ALAIN KORKOS

RAGEOT - ÉDITEUR

Collection dirigée par Caroline Westberg

Couverture: Anne Bozellec
ISBN 2-7002-1092-1
ISSN 1142-8252

© RAGEOT-ÉDITEUR – PARIS, 1990.

POURQUOI PAS UN OPÉRA?

Mme la Directrice est passée dans les classes ce matin pour demander aux CE 2 de se rassembler dans le gymnase à la récréation de dix heures et demie, où, dit-elle, une surprise les attend. Elle avait un air mystérieux et ravi qui ne lui était pas habituel.

Les élèves ne se réjouissent qu'à moitié : ce qui est une bonne nouvelle pour Mme la Directrice n'en est pas forcément une pour eux. Aussi, ce n'est pas d'un cœur enthousiaste qu'ils se dirigent vers la salle de sports.

Mais là, à leur étonnement, ils sont

accueillis par un flot de musique : un piano à queue a été installé dans un angle, un grand monsieur, à moitié chauve, est en train d'y jouer. C'est tellement inattendu que les enfants se taisent, même Quentin, et qu'ils vont se grouper en silence autour du musicien. Celui-ci joue encore quelques minutes, puis il frappe un dernier accord et se lève. Subjugués, les auditeurs applaudissent.

– Merci, merci, dit M. Blaise. Je suis content de voir que vous aimez la musique, parce que nous allons en faire ensemble.

M. Blaise est le directeur de l'école de musique de Montaigü, il est également pianiste et compositeur, c'est-à-dire qu'il invente et écrit des mélodies. Il voudrait communiquer sa passion à tout le monde et en particulier aux enfants. Aussi, chaque année, il monte un spectacle musical avec des élèves de l'école. Cette fois, il a décidé de faire jouer un opéra aux CE 2.

Évidemment, il s'agit d'un opéra très simple, pas bien long, où la plupart des airs sont chantés en chœur et où beaucoup de passages sont récités comme au théâtre, mais enfin c'est quand même un opéra.

– Ça s'appelle « Le Prince envoûté », explique-t-il. En voici l'histoire : Siffroy, un prince noble et juste tombe amoureux d'une belle jeune fille inconnue. Or elle est la fille du sorcier Aramont, un être jaloux et avide. Aramont va se servir d'elle pour attirer Siffroy dans un piège, l'ensorceler et le transformer en esclave obéissant. Puis il profitera de son pouvoir pour s'enrichir en volant les trésors du royaume et les biens des paysans. Le peuple malheureux voudrait se débarrasser du sorcier. Une servante astucieuse va demander son aide à un chevalier bon et généreux, et surtout réputé pour sa force et sa vaillance. Au cours d'un grand tournoi, il battra Aramont en duel et le forcera à libérer le prince. Cette histoire vous plaît-elle ?

Pour leur plaire, elle leur plaît ! Ils croyaient qu'un opéra était un spectacle bizarre et ennuyeux. Laure était plutôt inquiète, sa mère écoute souvent des opéras. Laure trouve que les airs ressemblent à de longs hurlements incompréhensibles et se demande quel plaisir on peut bien y prendre. Elle préfère Michael Jackson ou les chansons du TOP 50.

Ce conte de chevaliers et de sorciers lui paraît beaucoup plus amusant que les disques de sa mère. Les garçons, eux, sont enthousiasmés, surtout à cause de la scène du tournoi. Ils ont tout de suite trouvé que les bâtons de gymnastique, (ceux qu'on se met dans le dos pour se tenir droit) feraient de fort bonnes lances. Ken et Ludovic ont déjà commencé à s'entraîner.

Laure, Ken et Ludovic font partie d'un groupe de neuf copains inséparables. Ils se connaissent depuis l'école maternelle, jouent ensemble à chaque récréation, se retrouvent chez l'un ou l'autre le mercredi et le week-end. Neuf, c'est une bande importante, ce qui leur permet d'inventer des jeux très variés, mais entraîne aussi des disputes car ils ne sont pas toujours du même avis.

Le plus calme est sans doute Nicolas ; c'est aussi un bon organisateur qui arrive à mettre tout le monde d'accord quand il faut prendre des décisions importantes. Ludovic est le plus fort et Quentin le plus excité. Ken et John, les jumeaux coréens, sont les bricoleurs et les sportifs du groupe. Gilles, le plus réservé, est un ami fidèle, sur lequel on peut compter. Laure est la plus futée, ce que les garçons ont parfois du mal à accepter et Clothilde la plus craintive et aussi la plus serviable. Quant à Gaëtan, il est un peu râleur et prétentieux, mais les autres le supportent par habitude.

Malheureusement, cette année, ils ne

sont plus dans la même classe car il y a trois CE 2 à l'école de la Châtaigneraie. Aussi, le spectacle de M. Blaise est pour eux une excellente occasion de se retrouver, et comme en plus les garçons vont se battre en duel, ils sont enchantés.

M. Blaise, un peu étonné, contemple les jouteurs et se demande comment il va réussir à leur faire jouer un opéra.

D'abord, il les appelle gentiment en leur demandant de se ranger autour de lui pour des essais de voix. Personne n'entend sauf Bertrand Legoff, ce fayot, qui se met juste devant le piano et fait des « O. O. O. A. A. A. », en ouvrant grand la bouche pour montrer qu'il sait chanter, lui.

M. Blaise ne remarque pas Bertrand, il hausse le ton :

– Un peu de calme, s'il vous plaît.

Mais sa voix est couverte par le choc des lances et les cris des chevaliers. Alors, d'un pas décidé, il retourne à son piano, lève les bras et y plaque une série de grands accords, qui sonnent comme un roulement de tambour.

Surpris, les garçons cessent le combat.

– Nous sommes ici pour faire de la musique et non de l'escrime ou de la boxe, rappelle M. Blaise. Ceux qui n'ont pas envie de participer à ce spectacle peuvent s'en aller. Les autres, vous allez m'écouter.

Temporairement calmés, les CE 2 se rangent en rond autour du professeur, presque en silence.

M. Blaise leur explique qu'il va chanter un couplet en s'accompagnant au piano, et que chacun devra le lui répéter. Ceux qui auront les voix les plus justes et aussi les plus puissantes, auront les rôles principaux. Les autres joueront la foule des paysans et des soldats.

Bertrand Legoff se rengorge. Comme il prend des cours de piano, justement avec M. Blaise, il est sûr d'avoir le rôle du Prince Siffroy. Quentin sort son compas de sa poche et se place derrière Bertrand. Mais la maîtresse veille et confisque le compas. M. Blaise entonne l'air que les garçons vont reprendre :

Je suis le Prince Siffroy,
Homme juste et de bonne foi,
Avant tout je cherche la paix
Et le bonheur de mes sujets.

Ce n'est pas trop difficile.

Les garçons passent les uns après les autres. Dans l'ensemble, ils ne sont pas très convaincants. Ken est sûrement meilleur comme gardien de but que comme chanteur ; Nicolas ne se débrouille pas trop mal : dans sa troupe de louveteaux, il a l'habitude de chanter ; Gilles a le trac, il transpire et perd ses lunettes ; quant à John, il a gardé un petit accent coréen qui transforme les S en CH, cela donne « Le Prince Chiffroy... le bonheur de mes Chujets... » Un peu bizarre ! Bertrand Legoff, par contre, chante très fort et très bien, et Quentin n'a plus son compas. Laure est horripilée. Elle déteste Bertrand qui fait toujours l'intéressant, apprend ses leçons par cœur, interrompt n'importe qui en classe pour montrer que lui, connaît la réponse. Heureusement, la maîtresse ne paraît pas beaucoup l'aimer non plus, elle lui dit constamment : « Bon, ça va Bertrand, on sait que tu es le meilleur », d'un air tellement agacé que ça réchauffe le cœur de Laure.

Mais celui qui étonne tout le monde, c'est Ludovic. Il ne veut pas être le Prince Siffroy : un imbécile qui tombe amoureux de la fille d'un sorcier ! Non, il veut être le chevalier costaud qui bat Aramont en duel. Il pense qu'un tel chevalier doit avoir une voix tonitruante, alors il prend sa respiration et son chant retentit comme une sonnerie de trompette. Les autres se taisent de saisissement et M. Blaise ouvre des yeux ronds. Il est tellement surpris qu'il lui demande de recommencer. Ludovic reprend encore plus fort et plus triomphant.

– Eh bien alors, dit M. Blaise, quelle puissance ! Tu veux faire le Prince Siffroy ?

– Ah non, répond Ludovic, je veux être le Chevalier Costaud.

– C'est d'accord, tu seras un magnifique chevalier.

Ludovic est radieux.

– Je pourrai apporter mon armure m'sieur ?

– Ton armure ?

M. Blaise est si occupé par le chant qu'il a oublié qu'un chevalier c'est d'abord une armure.

– Mais bien sûr, bien sûr.

Ludovic se retire ravi sous les regards envieux des autres. Et comme il est temps de rentrer en classe, le Prince Siffroy sera choisi une autre fois.

UN CALEÇON A LA FENÊTRE

Aujourd'hui, la répétition est consacrée à la fabrication des décors, c'est-à-dire le château fort, la forêt, les tribunes et les lices du tournoi. Ken et Ludovic fabriquent les tribunes. Ils ont pris chacun une scie et raccourcissent les pieds d'un banc de bois pour constituer le premier rang.

À l'autre bout du gymnase, M. Blaise fait construire le château. Il a apporté de grandes planches de contre-plaqué. Deux équipes dessinent le chemin de ronde et les tours. Clothilde, Laure et Quentin sont chargés des tours. Laure trace les créneaux soigneusement, Clothilde les pierres des murs et Quentin les meurtrières.

– En perspective, a dit M. Blaise.

Quentin ne sait pas ce qu'est une meur-
trière en perspective, mais il sait que ce
sont des fentes dans les murs, destinées à
tirer des flèches sur les attaquants. Pour
défendre efficacement le château, il faut
donc beaucoup de meurtrières. À la fin, la
tour ressemble à un gruyère tant elle a de
trous, d'autant que Quentin en a tracé de
différentes formes : des ronds, des carrés,
des rectangulaires pour que ce soit plus
pratique. La maîtresse doit effacer les deux
tiers des meurtrières et Quentin, vexé, part
se réfugier tout en haut des gradins. John
et Nicolas le rejoignent bientôt. Ils en ont
assez de passer de la peinture grise sur le
mur du chemin de ronde.

Le gymnase, comme l'école, est construit
dans le haut de Montaigü. Par les fenêtres,
les enfants dominent une partie du village.
Ils voient même la maison de Nicolas, pas
très loin.

– Tiens, c'est marrant ce truc là-bas, on
dirait un drapeau.

– Où ça ?

– Tout en haut de la grande baraque
grise, à côté du toit de Nicolas.

– C'est pas un drapeau, c'est un morceau
de tissu au bout d'un bâton.

– Il ressemble à un caleçon.

– Quelle idée de placer un caleçon devant une lucarne !

– Qui habite là ?

– Je ne sais pas, répond Nicolas, le portail est toujours fermé. On ne voit personne entrer et sortir. Je croyais que la maison était vide.

– C'est idiot de faire sécher des habits à cet endroit.

– Je me demande si c'est pour le faire sécher qu'on l'a mis là, s'interroge John.

– Et pour quelle autre raison ?

– Si c'était un signal ?

– Un signal !

Du coup, ils se collent le nez à la fenêtre.

– Pourquoi utiliser un vêtement ?

– Je ne sais pas, mais ce caleçon là-haut paraît tellement bizarre que je me demande si ce n'est pas fait exprès.

– D'habitude, on se sert d'une écharpe ou d'un mouchoir.

– Si on allait voir de plus près ?

Ils descendent les gradins et se glissent, aussi discrètement que possible, hors du gymnase. Mais d'en bas, ils ne distinguent plus rien. Les arbres et les bâtiments proches leur cachent la maison bizarrement décorée.

– De chez moi, dit Nicolas, on devrait le voir.

– On y va !

– Pas maintenant, la récré est presque terminée, on va rentrer en classe.

– Tout à l'heure, à la sortie.

– OK ! Rendez-vous à quatre heures et demie au pied des escaliers.

Ils ont prévenu le reste de la bande de leur découverte, mais ils ne peuvent pas tous accompagner Nicolas, car les parents viennent en chercher certains à la sortie.

Ils se retrouvent à quatre : Laure, Ludovic, Gilles et Nicolas. Quentin a essayé d'expliquer à sa mère qu'il avait besoin des dictionnaires de Nicolas pour faire son enquête sur Jacques Prévert, mais Mme Renard a répondu qu'ils en avaient aussi chez eux et que ça n'était pas la peine.

– Et s'il n'était pas dans notre dictionnaire, ce type ? Il n'est pas très connu ! Il faut sûrement un très gros dictionnaire pour le trouver, et Nicolas en a un énorme.

Mais il paraît que Jacques Prévert est assez connu, pas de chance...

La maison de Nicolas est située sur la colline, un peu à l'écart du village, face à la forêt. Dans ce secteur, les habitations sont moins nombreuses et plus grandes que dans le centre. Elles sont souvent entourées de vastes jardins clos de murs ou de haies de poiriers, restes des vergers de Montaigü.

La mère de Nicolas n'est pas encore rentrée du bureau. Son frère aîné, de retour du collège, est déjà au travail et ne prête pas trop attention à cette arrivée en masse.

Ils grimpent dans la chambre de leur copain, située juste en face de la maison qu'ils veulent observer. Du vélux, ils distinguent très bien la lucarne, à soixante mètres en contrebas sur la route.

– On est plus près que du gymnase, mais on ne peut pas voir les détails, ni l'intérieur de la pièce.

– Attendez, j'ai une idée !

Nicolas disparaît et revient bientôt avec un étui noir et lourd dont il extrait avec précaution une belle paire de jumelles.

– Tu me les prêtes ! crient les quatre autres en même temps.

– Une minute, il faut que je les règle, faites attention, c'est lourd, c'est fragile et c'est super cher. Si on les abîme, mon père sera furieux.

Nicolas manipule la bague de réglage jusqu'à ce qu'il y voit distinctement.

– C'est bien un caleçon, conclut-il, bleu et vert.

Les autres trépignent autour de lui en

attendant leur tour. Enfin, Nicolas consent à céder sa place. Chacun reste en observation le plus longtemps possible, jusqu'à ce que le suivant lui arrache presque les jumelles des mains.

Pour Gilles, il faut refaire le réglage à cause de ses lunettes. Alors, il passe en dernier. Tandis qu'il scrute les formes sombres des lucarnes, il lui semble distinguer une tache claire derrière le vêtement. Soudain la vitre s'ouvre, le caleçon disparaît à l'intérieur et le fenêtre se referme aussitôt.

Le même « Oh ! » jaillit des quatre poitrines.

– Vous avez remarqué la forme blanche, derrière la fenêtre, crie Gilles tout excité, on aurait dit une figure.

– C'était peut-être un reflet, ou une tache sur le mur.

– Non, il y avait quelqu'un, concède Ludovic, le caleçon n'est pas parti tout seul.

Penchés sur le bord du vélux, les quatre observateurs ne quittent plus des yeux la lucarne mystérieuse.

– Si c'était un signal, je me demande ce qu'il veut dire, et à qui il s'adresse.

– Pourquoi pas à nous ?

– Mais on ne connaît personne dans cette maison.

– Nicolas, tu as un caleçon ? demande Laure.

– Hein... ?

– On va l'accrocher à ta fenêtre. Si la personne d'en face a vraiment voulu lancer un appel, elle comprendra que nous l'avons remarquée et elle nous refera peut-être signe.

– Et si elle ne répond pas ?

– C'est qu'il s'agit d'une blague ou d'un hasard, simplement quelqu'un qui faisait sécher du linge à un drôle d'endroit.

Nicolas sort de son tiroir un superbe caleçon à damiers noirs, jaunes et verts fluo, la grande mode de l'été passé.

Laure le fixe au sommet du vélux et l'étale le plus possible sur la vitre pour qu'on le voit bien.

– Notre réponse est installée, voyons ce qui se passe.

À ce moment, on entend la porte d'entrée s'ouvrir, c'est la maman de Nicolas qui arrive. Ils expliquent qu'ils sont venus chercher dans les dictionnaires des informations sur Jacques Prévert. Bien obligés de recopier sur un coin de cahier la biographie du poète, ils piaffent d'impatience.

Quand enfin ils remontent dans la chambre, à la fenêtre d'en face, le vêtement bleu et vert est là.

HYPOTHÈSES FARFELUES ET MESSAGE CODÉ

Laure est furieuse : elle est arrivée en retard à l'école et n'a pas pu parler à Nicolas. Cinq minutes avant de partir, sa mère s'est mise à téléphoner à une amie qu'elle devait retrouver à Paris pour le déjeuner.

– C'est fini ta conversation, je vais être en retard !

Elle aurait mieux fait de se taire. Maman n'était pas de bonne humeur, elle l'a dévisagée avec attention.

– Tu t'es lavé les dents ? Et avec quoi t'es-tu coiffée, un râteau ? Je t'emmènerai quand tu seras présentable.

Laure se demande comment fait sa mère pour voir qu'elle ne s'est pas lavé les dents. Elle avait pourtant bien serré les lèvres. Bref, le temps de grimper à la salle de bains, de se frotter vaguement les gencives avec beaucoup de dentifrice pour que ça sente bon, de trouver la brosse à cheveux et l'élastique pour faire sa queue de cheval, il était neuf heures passées. Quand elle est arrivée à l'école, les élèves étaient déjà montés en classe et elle s'est même fait gronder par la maîtresse.

Laure veut absolument savoir si le caleçon était encore là ce matin.

— Non, répond Nicolas qu'elle retrouve enfin à la récréation. Quand je me suis réveillé, il n'y avait plus rien et j'ai enlevé le mien, parce que maman m'aurait demandé des explications.

— Tu le remettras ce soir ?

— J'y ai pensé cette nuit, dit Ludovic, ce n'est pas forcément pour nous qu'il était placé, ce vêtement. Il s'adressait peut-être à quelqu'un d'autre, caché dans les environs.

— Quelqu'un pour qui il signifie quelque chose de précis.

— Un ami ou un complice.

— À qui on voudrait faire passer un

23

renseignement ou un objet sans que les habitants de la maison le sachent.

– Ce serait un voleur !

– Ou un espion.

(Quentin a tendance à voir des espions partout).

– Ou peut-être un prisonnier qui fait signe à des amis pour qu'ils viennent le délivrer.

– Pour le moment, on n'en sait rien, coupe Nicolas, allons en parler aux autres.

Ils se dirigent vers le fond de la cour où les jumeaux, Clothilde et Gaëtan disputent une partie de billes. Ils sont arrêtés en chemin par un attroupement ; une dizaine d'enfants, surtout des CE 2, font un cercle serré au milieu duquel on entend monter :

Do, ré, mi, fa, sol, la, si, do,
Je suis le prince Siffroy,
Homme juste et de bonne foi.

– Sans blague, rigole Quentin, tu as l'air d'un prince comme moi je ressemble à Mme Durand. (Mme Durand est la directrice de l'école).

Le cercle éclate de rire, la voix s'arrête et Bertrand Legoff se retourne d'un bloc.

– Monsieur est jaloux parce que monsieur chante faux.

– Tu parles, répond Quentin qui chante

effectivement assez faux, pour être un prince, l'important c'est de savoir se battre avec une épée, pas de roucouler.

– Nous allons jouer un opéra, monsieur, pas un film, et dans l'opéra ce qui compte, c'est le chant.

– Parce que tu t'y connais ?

– Bien sûr, répond Bertrand qui sait toujours tout. J'en ai écouté plusieurs et hier, j'en ai regardé un à la télévision.

– Ah oui, le gros type horrible qui braillait comme un veau, et la bonne femme qui s'évanouissait constamment... c'était nul.

– Si tu trouves ça nul, tu n'as qu'à pas jouer, M. Blaise sera bien débarrassé d'un agité comme toi.

Là, Legoff a fait une gaffe, parce que Quentin est susceptible. Si M. Taquet, un des maîtres de CE 2, n'était pas arrivé à temps pour séparer les combattants, le futur ténor se serait sans doute retrouvé avec un œil bleu violet.

Les trémolos de Bertrand Legoff ont retardé les conspirateurs. La récréation va bientôt se terminer. Vite, ils mettent les autres membres de la bande au courant des événements de la veille. Les jumeaux, qui adorent les mystères, échafaudent de multiples hypothèses :

Un voleur international d'œuvres d'art veut dérober des tableaux de valeur dans une maison très ancienne et cherche à alerter son complice pour qu'il vienne les chercher.

Un fils d'émir arabe a été kidnappé par la mafia qui veut l'échanger contre des diamants (les émirs arabes ont, paraît-il, beaucoup de diamants).

Une jeune orpheline est séquestrée par des savants fous pour servir à des expériences médicales.

Une bande de trafiquants de drogue a installé là son quartier général...

Tandis que les jumeaux se livrent à leurs élucubrations, Laure réfléchit.

– Si on lui envoyait un message? propose-t-elle.

– Un message? Mais on ne sait même pas à qui l'adresser.

– Peut-être, mais on sait où.

– On ne peut pas mettre une lettre à la poste avec écrit dessus : « Au propriétaire du caleçon dans la chambre en haut à droite, 5 chemin des Heuleux ».

– Vous êtes stupides, on ne l'envoie pas par la poste, mais vers la fenêtre de la chambre.

– Même avec un lance-pierres, on n'est

pas sûr de l'atteindre, et puis on cassera les carreaux.

– Pas avec un lance-pierres, avec une lampe électrique.

– Un message en morse ! Nicolas a enfin compris. On éclaire longtemps pour un trait, et juste un tout petit coup pour un point, explique-t-il aux autres. De sa fenêtre, il pourra nous voir si dehors il fait assez sombre.

– Et s'il nous répond, on saura au moins que ce n'est pas un voleur.

– Pas sûr, dit Ken, ça pourrait être une ruse, pour écarter les soupçons.

Laure trouve que les jumeaux ont l'esprit trop compliqué.

– Et s'il ne comprend pas le morse ! demande Gilles.

La cloche les empêche d'approfondir cette question.

Après beaucoup d'hésitations, ils sont tombés d'accord sur le texte. Ça n'a pas été facile.

Gilles voulait dire : « Nous sommes des amis, nous pouvons vous aider ». Mais c'était trop long, et peut-être un peu risqué d'offrir leur amitié à quelqu'un qu'ils ne connaissaient pas.

Quentin avait envie de demander :

« Avez-vous besoin d'armes ? », mais les autres trouvaient l'idée stupide parce que personne n'avait d'armes à offrir.

Finalement, ils ont décidé de poser simplement la question : « Qui êtes-vous ? », cette phrase est courte, facile à transcrire en morse à l'aide du manuel des louveteaux, et devrait leur fournir des indications sur leur mystérieux interlocuteur, au cas où il répondrait.

Nicolas est chargé de la transmission.

– Et la réponse, tu sauras la comprendre ? demande Ludovic.

– S'il ne va pas trop vite, et s'il n'y a pas trop de mots, je devrais y arriver.

Nicolas a bien rempli sa mission : il a attendu que le caleçon apparaisse sur le toit de la maison, qu'il fasse assez sombre, ce qui est arrivé vite car on est en février et la nuit tombe tôt, et il a envoyé consciencieusement toutes les lettres en respectant les durées d'éclairement et les arrêts entre les mots pour que le texte soit compréhensible. Puis, il est resté collé à sa fenêtre dans le noir à guetter une réponse qui n'est pas venue.

Ce matin, il a sommeil, il n'a pas fait ses devoirs et M. Taquet lui a collé une punition. Il est de mauvaise humeur.

– Tu es sûr qu'il t'a vu ?

– Comment veux-tu que je le sache ? Ses fenêtres ne sont jamais éclairées.

– C'est curieux, pourquoi n'allume-t-il pas ?

– Pour qu'on croie la maison inhabitée.

– Alors c'est un voleur.

– Pas certain. Quelque chose l'a peut-être empêché de nous répondre.

– Il n'est pas revenu dans la pièce d'en haut.

– Si, puisqu'il a remis le caleçon à sa place.

– Il ne doit pas comprendre le morse, s'obstine Gilles.

– Il aurait au moins pu réagir, faire simplement des zigzags avec une lampe, pour montrer qu'il nous a remarqués.

– Et s'il n'a pas de lampe !

– Bien sûr, c'est ça l'explication, s'il n'allume jamais dans sa chambre, c'est qu'il n'a aucun éclairage.

– Comment va-t-il nous répondre, alors ?

Consternation générale !

– Il peut faire des gestes avec les mains, ou avec des objets.

– Ça n'aura pas de sens.

– Il pourrait inventer un alphabet morse, les bras écartés pour un trait et croisés sur la poitrine pour un point.

– Le soir, il fait sombre, on aura du mal à le voir.

– Il peut s'y prendre dans la journée.

– Dans la journée, on est à l'école.

– Pas demain après-midi, c'est samedi.

– Bon, alors on vient chez toi demain.

Nicolas est indécis.

– Je ne sais pas si ma mère voudra.

– Dis-lui qu'on ne fera pas de bruit.

– Elle ne me croira jamais.

– Explique-lui qu'on va faire le grand puzzle de la carte du monde en 500 pièces, tu verras, elle sera d'accord.

QUEL CHARABIA !

Effectivement, elle a accepté. Tandis que les jumeaux essaient de reconstituer un pays avec les pièces violettes (mais le violet a servi à la fois pour le Brésil et l'Australie, et leur pays a une drôle d'allure), et que Quentin redécoupe les morceaux pour leur donner la forme qui l'arrange, Laure et Ludovic surveillent la fenêtre d'en face.

Au bout d'une heure, ils ont péniblement construit la moitié de l'Europe, l'Amérique du Nord et quelques portions d'océan, et la lucarne est toujours vide. Ils commencent à en avoir assez et décident d'aller faire un tour du côté de la maison mystérieuse.

La propriété est beaucoup plus grande que le jardin de Nicolas. Elle s'étend de la route jusqu'au ruisseau qui coule en contrebas. Un haut mur de pierres, gris et moussu, l'entoure complètement. Le portail est en bois plein, sa peinture est passée et écaillée mais il est solidement fixé et ne bouge pas d'un millimètre lorsque les enfants y appuient de toutes leurs forces. Entre les montants du portail et le mur, un léger interstice permet de voir, en se tordant le cou, une allée gravillonnée, un bout de la maison et les arbres du parc. On n'entend pas un bruit, l'ensemble donne l'impression d'une place forte à l'abandon.

Depuis la route, ils ne distinguent même plus les lucarnes, juste le toit et les cheminées. Ludovic fait la courte échelle à Ken, les mains de Ken touchent à peine le sommet du mur. Un peu désemparés, ils s'assoient sur le talus, au bord de la route.

– Ton père a une échelle ? demande Laure.

– Oui, mais elle est longue et très lourde, il ne voudra jamais nous laisser nous en servir seuls.

– Un tabouret ?

– Trop petit.

– Il nous faudrait du matériel d'alpiniste, un grappin pour l'accrocher en haut du mur et des cordes, dit Ludovic que son père a initié à l'escalade pendant les dernières vacances.

Gilles réfléchit : il fronce les sourcils, plisse le front, appelant de toutes ses forces l'idée géniale qui apportera la solution à leur problème. Son effort de concentration est interrompu par le choc d'un objet insolite sur son nez. Il sursaute.

– Qu'est-ce que c'est que cette bête ?

– Quelle bête ?

– Un gros insecte qui m'a heurté au milieu de la figure, il m'a peut-être piqué.

Il n'est pas rassuré. Les autres ne s'affolent pas vraiment : Gilles s'inquiète pour pas grand chose. Pour réconforter son ami, Laure lui examine le bout du nez et ne voit pas la moindre trace de piqûre.

– Un objet a dû tomber d'un arbre, un morceau de branche ou une petite pomme de pin.

De grands conifères dépassent en effet du mur de la propriété silencieuse.

– C'est ce truc-là, crie brusquement Gilles en ramassant à ses pieds une petite boule blanche. C'est une boulette de papier !

Fébrilement, il déplie le projectile et défroisse le papier : il est couvert de signes au crayon.

Nicolas s'en saisit et pousse un hurlement de triomphe.

– Un message en morse ! Il nous a répondu !

– Pourquoi a-t-il employé le morse ?

– Pour faire comme nous.

– Nous, on n'avait pas d'autre moyen de communiquer. Mais lui, il pouvait répondre normalement.

– Il ne voulait pas que quelqu'un d'autre que nous le comprenne.

– Donc, il est en danger.

– Rentrons pour le déchiffrer, comme ça, on saura.

– Trait, trait, point, épelle Nicolas.

– G, répond Laure.

– Point, point, trait.

– U.

– Trait, point, trait, trait.

– Y.

– *Guy*, il s'appelle Guy ! s'écrie Gilles.

– Non, attend, il y a encore une lettre : point, point, point.

– C'est un S : *Guys*. C'est bizarre, ça ne veut rien dire.

– Il a fait une faute d'orthographe, le S est en trop. Continuons, la suite sera plus claire.

Elle n'est pas claire du tout. Le deuxième mot est *hold*, et le troisième *me*, le quatrième est par contre beaucoup plus compréhensible : *prisoner*.

– Il est prisonnier, s'écrie Gilles, heureux de trouver enfin un sens à ce charabia.

– Mais non, coupe Gaëtan, il manque un I.

– Et un N, ajoute Nicolas.

– Un N, où ça ?

– Il y a deux N à prisonnier, précise Clothilde.

– Tu crois ? Il a dû se dépêcher, il a fait des fautes.

– L'important c'est qu'on ait compris qu'il est prisonnier.

– Ce n'est pas fini, il reste cinq lettres.

Nicolas lit, Laure déchiffre au fur et à mesure :

– *Help*.

– On n'arrivera jamais à comprendre ce qu'il a voulu nous dire. À mon avis, il ne sait pas bien le morse. Il a peut-être mis un P pour un R, ou un L pour un B...

– Pas de panique, dit Nicolas, deux choses sont à peu près sûres : il s'appelle Guy, et il est prisonnier, pour le reste, on va continuer à chercher.

Comme il est tard, ils sont obligés de rentrer chez eux, chacun emportant une copie de l'incompréhensible message.

Laure est intriguée. Le dernier mot du texte ne lui est pas inconnu. Elle est certaine de l'avoir vu sur un dessin ou une photo. Il était même en lettres rouges. Mais où ? Une couverture de livre ? Elle vide trois ou quatre étagères, en vain. Une affiche ? Elle fait le tour des chambres de ses frères et sœurs, rien. Une B.D. ?

Elle en feuillette une dizaine, pas de *HELP*.

Quand, fatiguée de chercher, elle s'arrête pour mettre de la musique, elle le trouve ! Il s'étale, en lettres rouges effectivement, sur une cassette des Beatles !

Les Beatles, ils sont anglais !

Elle se plonge aussitôt dans un dictionnaire. *Guy* veut dire « épouvantail » ou bien « type », « gars » et il n'y a aucun mot qui s'écrive *guys*. Déroutée, elle finit par demander conseil à Julie, sa sœur qui est en troisième. Julie lui explique que *guys* est un pluriel et signifie « des types » ; *hold* : c'est « tenir » ; *me* : « moi » ou « me » ; *prisoner* : « prisonnier » ; *help* se traduit par « aider » ou « aide ».

La phrase est un peu étrange : « Des types tenir moi prisonnier aider ».

Laure a encore une fois recours à Julie, qui lui indique que *help* veut aussi dire : « au secours, à l'aide », et lui demande d'où lui vient cette soudaine curiosité pour l'anglais. Laure bafouille une réponse incompréhensible et se sauve.

Le texte signifierait donc : « Des types tenir moi prisonnier, au secours ! »

« Il parle un drôle d'anglais, pense Laure, mais on comprend, je vais téléphoner à Nicolas ».

Il est déjà dix heures, ses parents ne seront pas contents s'ils s'aperçoivent qu'elle n'est pas encore couchée. Elle appellera demain.

Seulement, le lendemain, elle se lève à onze heures. La veille, en rangeant les bandes dessinées, elle a découvert un Gaston qu'elle n'a pas lu et l'a emporté dans son lit. Alors évidemment, ce matin, elle ne s'est pas réveillée tôt. Puis sa mère l'a mise dans un bain et lui a dit de se laver les cheveux. Ensuite, son père a occupé le téléphone pour prendre des nouvelles de Mamie ; après, il a fallu déjeuner.

À deux heures, les amis de Marc (son frère aîné qui est étudiant) ont commencé à appeler. C'était long : Marc a beaucoup d'amis. Ensuite Flo, la plus âgée de ses sœurs, a téléphoné à une de ses camarades qui avait le cafard. Un cafard terrible : leur conversation a duré une heure. Elle n'avait pas plutôt raccroché qu'Amélie appelait Julie pour lui proposer un tennis, puis maman s'est installée pour bavarder avec Ariane, une de ses vieilles amies. Quand enfin l'appareil a été disponible, il était cinq heures et il n'y avait personne chez Nicolas.

Laure est envahie par un sentiment de rage impuissante. Le téléphone sonne à nouveau, Flo décroche. Laure s'enferme dans sa chambre en claquant la porte, quand elle entend :

– Laure, c'est pour toi, Nicolas !

Elle manque trois marches dans l'escalier, se tord une cheville, se rattrape à la rampe et chuchote dans le combiné :

– Nico, j'ai la traduction.

– Traduction ?

– Le message, c'est de l'anglais, ça veut dire : « Des types me retiennent prisonnier, au secours » !

– Mince, il a vraiment besoin de nous, alors !

– Faut l'aider.

– Attends, moi aussi j'ai du nouveau. Après déjeuner, je suis monté dans ma chambre finir mes devoirs et j'ai mis le caleçon. Quelques minutes plus tard, la lucarne d'en face s'est ouverte, il était là, il tenait son caleçon à la main et il le balançait de droite à gauche, comme pour me saluer, avant de rentrer en quatrième vitesse.

– Donc il a compris que nous sommes des amis.

– C'est encore plus vrai que tu le crois. Je l'ai bien vu, il n'est pas beaucoup plus vieux que moi, c'est un enfant !

– Un enfant anglais !

PLAN D'ATTAQUE

– Vous vous rendez au gymnase rapidement et sans chahuter, dit la maîtresse.

Ce matin-là, Laure est maussade :
M. Blaise et son opéra lui cassent les pieds,
elle voudrait discuter tranquillement avec
ses amis du problème du prisonnier de la
grande maison. En chemin, elle attrape
Gilles par la capuche de son anorak et lui
raconte sa découverte et celle de Nicolas.

Gilles a l'âme chevaleresque, il bondit :

– Il faut le délivrer immédiatement.

– Ah oui, et comment ?

– En prévenant la police.

Évidemment ! La solution est simple.
Pour une obscure raison, Laure n'a pas
envie de l'appliquer. Il n'y a pas si longtemps, quand ils ont démasqué l'espion de

41

la S.O.D.I.P. *, ils se sont très bien débrouillés, surtout elle, alors pourquoi ne pas continuer.

– Nous allons apprendre le couplet que vous chanterez en chœur au début du premier acte.

M. Blaise s'installe au piano et attaque sur un air entraînant :

> *Nous sommes la foule compacte*
> *Qu'on met toujours au premier acte*
> *Pour donner de l'œil et du ton*
> *Tonton tontaine et tonton,*
> *Quoique nous soyons en carton,*
> *Avec ensemble nous chantons*
> *De notre souverain*
> *Le mérite et le bien.*

Les enfants reprennent avec vigueur. Quand le chœur se tait, une voix solitaire prolonge le couplet par un retentissant :

– Poils aux mains.

M. Blaise sursaute :

– Qu'est-ce que c'est que cette initiative ?

– Ben quoi, ça rime, s'étonne Quentin.

– Ça rime peut-être mais ça n'est pas dans le texte, vous me ferez le plaisir de chanter ce qui est écrit. On reprend.

La foule semble avoir considérablement diminué, on entend nettement plus de filles que de garçons. Quentin boude, Ludovic

* Voir Superman contre CE 2, collection CASCADE.

ne se donne pas la peine de participer puisque de toute façon, il fait le Chevalier Costaud, Bertrand Legoff réserve son énergie pour le rôle de Siffroy, et Nicolas explique à Ken, John, Gaëtan et Clothilde qui est leur mystérieux interlocuteur et la signification de sa réponse. Ken et John veulent organiser une expédition de commando, l'après-midi même. Nicolas rétorque qu'un commando, ça se prépare.

– On va le sortir de là, gronde Ludovic en tapant son poing droit dans sa paume gauche comme s'il exerçait son direct meurtrier.

– On ne peut pas pénétrer dans la propriété : elle est trop bien fermée.

– Il faut les obliger à ouvrir, dit Laure, le visage concentré.

– En mettant le feu à la maison, suggère Quentin. On pénétrera dans le jardin en même temps que les pompiers.

– Génial, ricane Laure. Et pour allumer le feu, tu fais comment ?

– On lance des flèches enflammées sur le toit. Depuis la chambre de Nicolas, c'est facile.

Tandis que Nicolas essaie de persuader Quentin que sa proposition n'est pas très évidente à réaliser, Laure continue à réfléchir.

– Ces gens ne nous connaissent pas, annonce-t-elle. Si on sonne et qu'on n'a pas l'air dangereux, ils nous ouvriront.

– Mais eux, ils sont dangereux.

– Pas s'ils pensent que nous ne savons pas qui ils sont.

– C'est pas parce qu'on sera bien sages et polis qu'ils nous accueilleront. Ils nous diront d'aller au diable, un point c'est tout.

– Si on trouvait un truc pour les forcer à sortir.

– On dira que quelqu'un est malade.

– Moi, propose immédiatement Quentin en se jetant par terre et en se tordant de fausses douleurs, je souffre, à l'aide, je souffre...

Les autres le regardent, perplexes et agacés.

– C'est pas un malade, c'est un clown, soupire Ken.

– Je sais, propose Gilles, nous allons nous déguiser comme si nous allions à une fête, on prendra les vélos et juste devant la maison, il y en a un qui tombera par terre et fera semblant de s'être fait très mal. On criera, on appellera au secours, on sonnera, on tapera sur le portail : il faudra bien que quelqu'un vienne. Dès que la porte sera ouverte, deux d'entre nous se glisseront dans la propriété et se cacheront quelque part. Les autres feront beaucoup de chahut pour que les gens de la maison ne s'aperçoivent de rien.

L'idée est tellement bonne que personne ne songe à la critiquer.

Le bruit de la conversation couvre peu à peu la voix du chœur.

– J'ai dit de chanter, pas de réciter, réclame M. Blaise. Voulez-vous reprendre ensemble s'il vous plaît, les garçons aussi. Un, deux, trois...

– On va d'abord lui envoyer un autre message pour le prévenir, continue Nicolas.

– Il faut l'écrire en anglais.

– On va le rédiger en français et on se débrouillera pour le traduire après.

Nicolas s'assied par terre pour plus de commodité, un papier et un crayon à la main, les autres s'installent autour de lui.

– Bon, qu'est-ce qu'on lui dit ?

– On vient te délivrer, propose Gilles.

– Ça ne suffit pas, on doit lui dire quand, pour qu'il se prépare.

– Mercredi, c'est la seule solution.

– L'après-midi, parce que le matin j'ai tennis.

– Et moi, judo.

– Bon. « Nous venons te délivrer mercredi après-midi. » Ça va ?

– Adopté.

– Mais, que faites-vous par terre ?

La voix de M. Blaise est devenue plus aiguë.

– On répète, m'sieur, mais on était fatigués, alors on s'est assis.

– On se met debout pour chanter en chœur. Allez, levez-vous et en mesure.

– Pas moi m'sieur, c'est pas la peine puisque je suis le Chevalier Costaud.

– Ni moi, je ne veux pas jouer un paysan.

– Et moi, j'ai mal à la gorge.

– On peut sortir m'sieur, puisqu'on ne sert à rien.

M. Blaise paraît décontenancé. D'ordinaire, les enfants manifestent plus d'intérêt pour ses spectacles.

– Voyons, essayez encore une fois, vous y étiez presque tout à l'heure, les encourage-t-il.

M. Blaise ne peut pas savoir qu'il se passe des choses nettement plus importantes que son opéra, là-haut sur la colline, dans la grande maison grise. Enfin... autant lui faire plaisir, après il les laissera tranquilles. Le chœur est superbe, rythmé, sonore, presque juste. Ils le répètent deux fois.

Tandis que les enfants quittent le gymnase, M. Blaise, un peu las, s'éponge le front. Le spectacle de cette année s'annonce plutôt fatigant !

LE PRIX D'UNE RANÇON

À midi, chacun de son côté a établi une traduction à coups de dictionnaires franco-anglais, et de renseignements demandés aux frères ou sœurs plus âgés. Puis, ils ont comparé leur travail et ont abouti à un texte commun qui les satisfait : *We come to free you, wednesday afternoon.*

Nicolas a joué son rôle de télégraphiste, non sans difficulté. Sa mère est montée trois fois dans sa chambre. La première fois, elle a été étonnée de le trouver immobile, devant la fenêtre grande ouverte. La seconde, elle n'a pas apprécié que la porte soit bloquée avec une chaise. Du

47

coup, elle est revenue un peu plus tard pour trouver... tout en ordre. Nicolas, en l'entendant arriver, avait eu le temps de ranger la lampe torche et les papiers. Avec ces interruptions, il se demande si sa transmission a été compréhensible.

Maintenant, il guette un signe, un geste qui indique que le destinataire a bien reçu l'information. Un œil sur le vélux, l'autre sur ses cahiers, il s'impatiente. Il va bientôt faire complètement nuit.

Il commence à désespérer quand la lucarne s'ouvre, un visage apparaît, une main tend le caleçon et le balance deux ou trois fois. Nicolas saisit les jumelles de son père et les braque sur la fenêtre. La petite silhouette resurgit, dans une drôle de position. Nicolas a du mal à distinguer ce qu'il fait : on dirait qu'il tient quelque chose à deux mains devant sa bouche. Il reste ainsi immobile une ou deux secondes, puis disparaît et referme la lucarne. Nicolas est perplexe, que signifie cette pantomime ? Que l'autre ne peut pas parler ? Non, il se serait mis un bâillon sur la bouche. On aurait dit qu'il faisait semblant de souffler dans une trompette. C'était petit et Nicolas n'a pas distingué l'objet, un bâton ? Un tube ? ... Une sarbacane ! C'est ce qu'il a déjà dû utiliser la fois précédente pour expédier le premier message.

Il dégringole l'escalier et file sur la route, derrière le mur, à l'endroit où Gilles a reçu la boulette sur le nez. Plusieurs fois, il croit avoir mis la main sur ce qu'il cherche, mais l'obscurité le trompe, il ne ramasse que des cailloux, feuilles mortes et morceaux de bois. C'est fou ce qu'on trouve d'objets ronds et clairs au bord d'un chemin. Nicolas craint que le papier n'ait pas franchi le mur et soit tombé à l'intérieur du parc. S'il est perdu, tant pis, le prisonnier en enverra un autre, mais si ses geôliers le trouvent...

Une sonnerie de vélo le fait sursauter. Laure freine juste devant son nez.

– Qu'est-ce qu'il t'arrive ?

– J'ai oublié ma grammaire à l'école. J'ai dit à la maison que je venais emprunter la tienne.

Elle était surtout très impatiente d'avoir des nouvelles du prisonnier.

– Il t'a répondu ?

Nicolas lui explique comment leur correspondant a expédié sa petite boule de papier, et pourquoi il fouille les fossés.

– J'ai cherché partout, je n'arrive pas à la trouver.

– Il faut essayer encore. C'est important,

il doit nous dire si c'est d'accord pour mercredi ou pas.

Laure dépose son vélo contre le talus et se met à explorer les environs.

Ils sont accroupis au milieu de la route quand un bruit de moteur les alerte. Ils se relèvent rapidement et se réfugient sur le bas-côté. Bien leur en a pris car une grosse voiture noire surgit, elle roule très vite et les frôle presque. Surpris, ils s'écartent et tombent dans le fossé.

Les pneus crissent, le bolide s'arrête en face du portail de la maison mystérieuse. Les enfants s'aplatissent dans l'herbe et ne bougent plus.

Un homme long et maigre sort du véhicule et va appuyer sur le bouton d'un parlophone, dans lequel il dit laconiquement :

– C'est Fred.

Un bruit de pas. Quelqu'un vient du fond du jardin, le portail s'ouvre.

– Alors ? demande le nouveau venu avec un accent étranger.

– Ça colle pour mercredi soir.

– Ils auront l'argent ?

– Ils le récupèrent à cinq heures. Quarante mille chacun, comme convenu.

– Correct. Il faudra tenir ce sale môme à l'écart.

– T'inquiète pas, j'ai tout prévu.

Fred tend à son partenaire plusieurs paquets volumineux.

– Et si ça ne suffit pas ?

– Maggie s'en occupera. Je te garantis qu'il ne bronchera pas. Elle sait y faire, Maggie.

L'homme à l'accent part d'un éclat de rire désagréable.

– Vivement que cette affaire soit terminée, conclut Fred, j'en ai ma claque d'être vissé ici.

Puis il remonte dans sa voiture, la rentre dans le jardin et le portail se referme.

– Qu'est-ce qu'ils ont voulu dire ?

– Ils attendent des gens avec de l'argent mercredi soir.

– Ça doit être une rançon.

– Mais ils n'ont pas l'intention de rendre l'enfant puisqu'ils ont dit qu'il fallait le tenir à l'écart.

– Et les paquets, c'était quoi à ton avis ?

– Sûrement de quoi l'attacher et le bâillonner. Et peut-être aussi un sac et des couvertures pour le cacher.

– Cette Maggie, pourvu qu'elle ne le torture pas.

– Quand même pas. Ils ne voudront pas qu'on l'entende crier.

– Une fois qu'ils auront touché la

rançon, s'ils ne rendent pas le prisonnier, qu'est-ce qu'ils vont en faire ?

– Le supprimer pour qu'il ne parle pas.

– C'est horrible.

– Remarque, c'est pas sûr. Peut-être que mercredi, ils ne vont toucher qu'une partie de l'argent. Quarante mille francs par personne, c'est pas énorme.

– Ça dépend combien il y a de personnes.

– Fred, Maggie, le type à l'accent et ceux qui vont récupérer la rançon, disons cinq. Cinq fois quarante mille ça fait... deux cent mille francs. D'habitude une rançon, c'est plusieurs millions.

– Tant que ça !

Laure reste silencieuse un moment, puis elle déclare :

– Nicolas, maintenant il faut avertir la police.

– Si on va tout raconter, les autres seront furieux.

– On s'en fiche. Ces kidnappeurs sont dangereux. On n'arrivera pas à délivrer l'Anglais tout seuls et si on ne fait rien, il risque d'être tué.

Nicolas est ébranlé.

– Mais il n'y a pas de policiers à Montaigü.

– Si, celui qui règle la circulation à la sortie de l'école.

– À cette heure-ci, où est-ce qu'on peut le trouver ?

– Je l'ai déjà vu à la mairie.

– D'accord, on y va.

Nicolas prévient sa mère qu'il raccompagne Laure jusqu'au centre du village et prend son vélo pour aller plus vite. Il est six heures moins dix. La mairie n'est pas encore fermée. Timidement, ils poussent la porte de verre. La réceptionniste les regarde, un peu surprise.

– Vous voulez quelque chose ?

– On cherche le policier... celui qui surveille la sortie de l'école.

– M. Dubac. Pourquoi faire ?

– Euh... On... on lui apporte une lettre.

Laure n'a pas envie de raconter leur histoire à n'importe qui.

– Dans le bureau du fond, la porte verte.

Dans le bureau du fond, M. Dubac fume sa pipe en lisant le journal.

– Un problème les enfants ?

– Vous êtes bien policier ? demande Nicolas.

– Policier municipal.

– Ah bon. Parce qu'on vient vous informer que quelqu'un a été kidnappé.

– Racontez-moi ça, dit M. Dubac en prenant un papier et un crayon.

– Voilà, c'est un Anglais, il est prisonnier dans la maison grise, chemin des Heuleux. Il y a au moins trois kidnappeurs, peut-être cinq. Ils ont demandé une rançon qui sera payée mercredi soir.

– Et si on ne le délivre pas, ils le tueront sûrement, ajoute Laure.

– Voyons... Voyons. Un Anglais, comment savez-vous cela ?

– Parce qu'il nous envoie des messages en anglais.

– Ah, des messages. Et comment les envoie-t-il ?

– Avec une sarbacane, pour pouvoir passer par-dessus le mur.

– Oh ! Et que disent ces messages ?

– C'est en morse, on a eu du mal à traduire. Il explique que des types le retiennent prisonnier.

– En morse ?

M. Dubac a un sourire sceptique qui exaspère Laure.

– Bien sûr ! Pour que les kidnappeurs ne comprennent pas, au cas où ils trouveraient le papier, explique-t-elle.

– Je vois... Je vois. Et comment l'avez-vous découvert, ce prisonnier ?

– Il nous a fait signe, avec un caleçon,

55

pendant qu'on répétait l'opéra de M. Blaise.

– Avec un caleçon ! Dites les enfants, vous vous moquez de moi : un Anglais qui agite un caleçon et envoie des messages en morse avec une sarbacane... C'est un roman que vous me racontez là, pas un kidnapping.

– Mais je vous assure, on a tout entendu. Ils veulent une rançon de deux cent mille francs.

– Deux cent mille francs ! Vous plaisantez.

– Tu vois, dit Nicolas à Laure, je t'avais bien dit que c'était pas beaucoup.

– Parce que tu t'y connais en rançon ? demande M. Dubac soudain soupçonneux.

– C'est normal, y a plein de films d'enlèvement à la télé.

– Dans votre tête aussi, il y a plein de films. Pour avoir de l'imagination, vous en avez, vous les jeunes !

– Mais je vous assure, insiste Laure, il y a vraiment un prisonnier.

– Nous allons vérifier cela tout de suite. M. Dubac fait un numéro sur son téléphone.

– Allô, le commissariat de Saint-Germain, ici la mairie de Montaigü. Dites, j'ai ici deux gamins qui me racontent une histoire à dormir debout d'Anglais qui a été kidnappé. On vous a signalé quelque chose ? ... On demanderait une rançon... de deux cent mille francs... Bon, c'est bien ce que je pensais, merci.

Il raccroche.

– Écoutez les petits, vous avez de la chance que je sois de bonne humeur... sinon je pourrais vous faire sérieusement punir par vos parents pour venir raconter des balivernes à un policier. Allez, filez et ne recommencez plus.

Laure est scandalisée, elle veut protester, mais Nicolas la tire par la manche.

– Pas la peine, il ne nous croit pas. Viens.

Ils sont furieux et humiliés. Alors qu'ils venaient pour aider la police, on les traite presque comme des coupables.

– Quel imbécile, mais quel imbécile ! gronde Laure.

– En tout cas maintenant, on n'a plus le choix : il faut le délivrer nous-mêmes.

COMMENT DEVENIR CHEVALIERS ?

Quand Nicolas et Laure ont raconté la rencontre avec M. Dubac, le reste de la bande n'a effectivement pas été content.

– Le prisonnier, on s'en est tous occupés. C'est même Quentin qui a vu le caleçon en premier. Y a pas de raison que ce soit vous deux qui préveniez la police.

Laure et Nicolas ont du mal à faire admettre à leurs camarades qu'ils ont eu vraiment peur la veille au soir, et qu'ils ont pensé qu'il fallait chercher de l'aide très vite. Mais comme finalement M. Dubac les a renvoyés en se moquant d'eux, les autres se calment.

Cette mésaventure n'a rien changé à leur

problème, bien au contraire. Ils sont désormais les seuls à pouvoir aider le prisonnier. Si un policier ne les a pas crus, personne d'autre ne les écoutera, et ils doivent faire quelque chose avant le versement de la rançon.

D'autant que l'Anglais compte maintenant sur eux. Le matin, Nicolas s'est levé une demi-heure plus tôt, et, à la lumière du jour, il a facilement déniché la boulette de papier dans un trou de la chaussée.

Ce coup-ci, le texte est écrit directement en anglais. Les mots au crayon sont un peu effacés, mais il a pu déchiffrer quand même : *OK for wednesday, careful they are dangerous*, ce qu'il a assez facilement traduit (avec l'aide de son frère pour le mot *ARE* qui n'était pas dans le dictionnaire)

D'accord pour mercredi.

Attention, ils sont dangereux.

Ils se sont installés dans le fond du gymnase, derrière les autres, pendant que M. Blaise fait répéter l'ensemble de la troupe.

Il s'agit maintenant de mettre au point les détails du plan de sauvetage. Pour convaincre ses camarades qu'il doit faire le blessé, Quentin se jette par terre, fait semblant de vomir en prenant l'air hagard de quelqu'un qui a reçu une enclume sur la tête... L'effet est saisissant !

Après une négociation difficile, la bande a finalement décidé que ce seraient Nicolas et Ludovic qui entreraient dans le jardin. Les jumeaux ne sont pas satisfaits de ce choix, ils trouvent que les beaux rôles sont toujours pour les mêmes. Pour les calmer, on leur a confié l'organisation de l'incident qui devrait entraîner l'ouverture du portail. Laure trouve particulièrement injuste de ne pas faire partie du commando. Elle est aussi agile que les garçons et certainement plus maligne.

– Que ferez-vous une fois dans le jardin ? s'inquiète Gilles.

– On cherche le prisonnier, on le trouve, on le délivre et on se sauve avec lui, expose sereinement Ludovic.

– Comme c'est simple ! ricane Laure, une vraie promenade ! Tu crois que les kidnappeurs vont vous laisser faire ?

– On fera très attention pour qu'ils ne nous découvrent pas, répond Nicolas contrarié.

– Faisons le coup de l'accident assez tard, propose Ken, quand il commencera à faire nuit, ce sera plus facile pour Ludovic et Nicolas de rentrer dans la propriété sans qu'on les remarque.

Puis ils passent en revue le matériel dont le commando aura besoin. Les jumeaux font une liste : tournevis pour forcer les portes si elles sont fermées à clé, lampe de poche, couteau pour couper les liens du prisonnier et une bombe de produit à nettoyer les fours pour asphyxier les gangsters au cas où ils les rencontreraient.

Pendant ces préparatifs, à tour de rôle, ils montent au sommet des gradins vérifier si le caleçon-drapeau est à sa place. Le prisonnier semble le placer lorsqu'il est seul dans sa chambre. C'est donc le signe que pour le moment, tout va bien pour lui.

M. Blaise finit par trouver leur manège bizarre :

– Qu'est-ce que vous fabriquez à monter et à descendre sans arrêt ?

– Euh... On s'échauffe, m'sieur.

– Pourquoi faire ?

– ... Pour le tournoi, on doit être en forme pour combattre.

– Je vous trouve naturellement assez échauffés comme ça. Venez ici, nous reprenons l'attribution des rôles.

À regret, la bande se rapproche du troupeau des autres CE 2.

– Nous commençons par celui de la princesse.

Un frisson d'excitation et d'angoisse

parcourt les rangs des filles. Certaines deviennent rose bonbon, d'autres se cachent derrière leur meilleure amie, d'autres se pavanent comme des duchesses. Laure est bien trop préoccupée pour prêter attention aux propos de M. Blaise.

Ah ! Que le prince est noble et bon
Pourvu que mon père Aramont
Accepte de me fiancer
À ce très vaillant chevalier,

chante le professeur de musique.

– A vous, mesdemoiselles.

Christelle et Anne-Lise en perdent la voix d'émotion, Clémentine chante complètement faux, Éloïse se déhanche en faisant presque une démonstration de rock. M. Blaise lève les yeux au ciel. Clothilde est terrorisée, elle n'a aucune envie d'un premier rôle, elle veut bien être parmi la foule des paysans, pas plus. Mais comme elle a une jolie voix, juste et claire, c'est elle qui est finalement choisie.

Ludovic a rajouté un coup de poing américain à la liste du matériel, et Gilles, un rouleau de corde.

– Ils ne pourront pas marcher avec tout ce barda, s'inquiète Laure.

– Tu n'y connais rien, un bon équipement, c'est très important dans une situation difficile.

– Et de ne pas se faire remarquer dans une maison ennemie, tu ne crois pas que c'est important ?

– Suppose qu'une sentinelle garde la chambre du prisonnier, il faudra bien l'éliminer, continue Ken, obstiné.

Laure n'imagine pas du tout Nicolas ou même Ludovic en train d'assommer le grand Fred et se demande de plus en plus si le choix des commandos a été bien judicieux.

– En piste pour le rôle du Prince Siffroy, dit M. Blaise, je veux une voix de ténor : forte et bien placée.

Dans la bande, personne ne veut faire le prince, c'est un personnage ridicule, d'abord il tombe amoureux, ensuite il se laisse ensorceler et devient une espèce de mannequin manipulé par Aramont ; aucun intérêt. C'est tout juste s'ils se donnent la peine de chanter, sauf Quentin qui pour se faire remarquer se fabrique une voix grave et lugubre, qui correspond très mal au personnage de Siffroy.

– Excellent, excellent, dit M. Blaise.

Quentin inquiet et dépité se donne des allures sardoniques. M. Blaise ne va quand même pas donner le rôle d'un prince niais à un chanteur sombre et machiavélique !

– Génial ! s'exclame le professeur.

Bertrand Legoff devient blême.

– Tu seras Aramont le sorcier, ta voix est tout à fait adaptée, et quel comédien tu fais !

Quentin a eu chaud. Aramont, il veut bien. Il se fabriquera un déguisement sinistre. Le seul problème, ce sera le duel contre Ludovic, à la fin. Il a horreur de perdre une bagarre, et vaincre Ludovic ne sera pas facile. En plus, ça n'est pas prévu dans l'histoire ; il va réfléchir à la question. Ce qui fait que Bertrand Legoff, rayonnant, a été retenu sans difficulté pour jouer Siffroy. Ensuite, on est passé au choix des chevaliers qui se battront au cours du tournoi, rôles nettement plus convoités que celui du Prince.

Il doit y avoir quatre duels, le dernier étant celui de Ludovic et d'Aramont. Il faut donc six chevaliers. Plus personne ne songe à l'attaque de la maison grise. La scène du tournoi commence par un chœur chanté par les huit garçons :

Nous, les braves parmi les braves
Allons combattre sur le champ
Vous allez voir comme on en bave
Pour être preux, noble et gagnant.

Puis le héraut sonne de la trompette et annonce les combattants. M. Blaise explique que les chevaliers sont braves, certes, mais qu'on est dans un opéra, pas sur un vrai champ de bataille, donc il veut des comédiens qui savent se tenir et surtout qui savent perdre ou gagner avec élégance.

M. Taquet, debout dans le fond du gymnase, a un sourire ironique qui exaspère M. Blaise.

– On va gagner ! hurle Gaëtan en faisant tournoyer un bâton de gymnastique au-dessus de sa tête.

Laure se dit que si ses copains continuent à s'agiter comme ça, ils ne seront jamais chevaliers et ce prétentieux de Legoff va encore pavoiser.

– Attention, leur explique-t-elle, M. Blaise veut un spectacle, pas une bagarre. Pensez que vous êtes dans un film, faites seulement semblant de vous battre et passez les derniers.

M. Blaise attaque le couplet, les poitrines se gonflent, les chevaliers pénètrent dans les lices.

Les autres CE 2 n'ont rien compris. Chaque combat est une empoignade. Le sourire de M. Taquet s'accentue et l'exaspération de M. Blaise augmente. Quand vient le tour de la bande, M. Taquet s'assoit avec la mine gourmande d'un chat qui va déguster un pot de crème fraîche. Ken et John s'avancent, font semblant de se heurter, Ken pousse un cri de désespoir et s'effondre en portant les mains sur sa poitrine, John descend calmement de son coursier imaginaire et salue son adversaire mourant ; la foule applaudit. Au second duel, les combattants terminent à l'épée : Gilles tombe le bras transpercé, Nicolas demande la grâce du vaincu.

Enfin, Gaëtan et Grégoire (un bon copain qui n'est pas dans la bande mais joue avec eux quelquefois) font un spectaculaire numéro d'escrime.

M. Blaise, radieux, n'a pas une seconde d'hésitation : ils seront chevaliers.

Laure est choisie pour jouer la servante. C'est plus son air malin que sa voix qui a décidé M. Blaise. Les autres filles, dépitées de ne pas avoir décroché le beau rôle, ne voulaient pas interpréter ce personnage secondaire.

Ils retournent en classe satisfaits, l'opéra se présente bien.

– Rendez-vous mercredi à quatre heures et demie devant chez moi, dit Nicolas, avec les vélos et les déguisements.

RUSE RÉUSSIE

Quentin a mis son costume de Zorro, il se prend pour le justicier en personne et fait claquer son fouet autour de lui ! Il a déjà cabossé les chapeaux de cow-boy de Ken et John. Laure s'est déguisée en rat d'hôtel : collant noir, pull noir, bottes noires, et par-dessus, le blouson de toile noire de Julie. Ludovic voulait porter son armure de chevalier, mais Laure a réussi à le convaincre que ce serait trop encombrant, alors il s'est habillé en motard. Nicolas, qui a juste pris un masque de velours noir et une cape pour ne pas être gêné par des vêtements volumineux, vérifie le matériel de « sauvetage » et le répartit dans deux sacs à dos.

Entassés dans le garage de Nicolas, ils répètent une dernière fois le scénario imaginé.

– Donc, réexplique Ken, Quentin, tu tombes de vélo, juste devant la maison ; Clothilde, tu as peur et tu pleures, très fort ; Laure, tu fais semblant de soigner Quentin ; Gaëtan, tu cries : « Appelez un

67

médecin » ; Gilles, John et moi, on sonne et on cogne sur la porte en hurlant : « Au secours ».

– Pourvu que ça marche, murmure Gilles en redressant son chapeau de mousquetaire.

– S'ils se doutent qu'on connaît le prisonnier, ils n'ouvriront jamais, grogne Gaëtan qui trouve que son rôle n'est pas assez important.

– Ou bien ils nous kidnapperont aussi, dit Clothilde qui grelotte dans son costume de fée.

– On est trop nombreux, ça les gênerait, déclare Laure, en se demandant au fond si des gangsters peuvent être gênés par ce genre de problème.

– Le plus difficile sera de les occuper pour que Nicolas et Ludo puissent entrer.

– Et s'ils les voient pénétrer dans le jardin ? s'inquiète à nouveau Gilles.

– On dira qu'on voulait seulement visiter la maison, répond Nicolas, en pensant que ce sera difficile de faire croire cela au sinistre Fred.

– Mais s'ils vous trouvent dans la maison, ils ne vous lâcheront plus, ajoute Clothilde.

– Et bien, vous irez chercher de l'aide, rétorque Nicolas, qui sent que s'ils continuent à se poser des questions, il n'aura plus la force de sortir de l'abri du garage. Il faut y aller maintenant.

La troupe se rassemble sur la route, et une fois un peu éloignée de la maison de Nicolas, se met à chanter le refrain que M. Blaise leur a appris :

Nous sommes la foule compacte
Qu'on met toujours au premier acte
Pour donner de l'œil et du ton
Tonton tontaine et tonton.

Ken a attaché un puissant klaxon à son vélo et ponctue chaque couplet de retentissants « pouët, pouët », que les autres prolongent à coups de sonnettes. Quentin fait tournoyer son fouet, créant le vide autour de lui. Plus ils approchent de la maison, plus ils font de bruit, autant pour alerter ses habitants que pour se donner du courage.

Soudain, la lanière du fouet de Quentin se coince autour de la selle de Ludovic, qui donne un grand coup de pédale pour se dégager, Quentin freine, son vélo s'arrête brutalement et le cycliste, accroché à son fouet, fait un vol plané par-dessus son guidon et s'affale la tête la première sur la route, en poussant un hurlement qui s'arrête net à l'atterrissage. Affolés, les enfants lâchent leurs bicyclettes, courent vers le blessé, l'appellent, le secouent, le retournent : son visage est couvert de sang, il a les yeux fermés, il est tout mou et semble évanoui. Cet idiot en a trop fait, comme d'habitude, et s'est vraiment amoché.

Laure se rue sur le bouton du parlophone, l'enfonce et garde le doigt dessus en appelant :

– À l'aide, s'il vous plaît, à l'aide !

Les autres s'agrippent à la poignée du portail et la secouent tant et plus. Quentin est toujours immobile, pâle et sanglant au milieu de la chaussée. Ludovic crie :

– S'il vous plaît, vite, on a un blessé.

Ils attendent deux ou trois interminables minutes pendant lesquelles rien ne se produit, ils sont si inquiets pour Quentin qu'ils en ont presque oublié leur mission. Enfin, des pas sur le gravier ! Quelqu'un approche, sans se presser. Un grand type maigre au regard méfiant entrouvre la porte.

– S'il vous plaît, supplie Laure, aidez-nous.

– Qu'est-ce que vous faites ici, demande l'arrivant, c'est une propriété privée.

– On le sait que c'est une propriété privée. C'est pas une raison pour laisser les gens mourir sur la route.

– Quoi ? Qui va mourir ?

– Notre copain, insiste Laure, en désignant Quentin, il est passé par-dessus son vélo, il est tombé sur la tête, il saigne, il ne bouge plus, il a sûrement quelque chose de grave.

Le long personnage hésite. Une autre silhouette, plus large, sort de l'ombre derrière lui. C'est l'homme à l'accent étranger que Laure et Nicolas ont aperçu le lundi soir.

– Un problème ? demande-t-il.

– Un gamin est tombé de vélo. Ils disent qu'il est blessé, répond Fred.

Le gros homme s'approche de Quentin, se penche sur lui...

– Il faut l'emmener chez un médecin, dit-il.

– Il ne peut pas marcher, il est évanoui, s'emporte Laure. Vous devez le conduire en voiture.

Cette perspective n'a pas l'air de plaire au gros étranger.

– Allez chercher ses parents, ordonne-t-il.

– Ce sera trop long, il faut faire vite.

L'homme semble ennuyé. Cet attroupement d'enfants le dérange, on sent qu'il voudrait s'en débarrasser, mais qu'il n'a pas envie de quitter la maison.

71

– Bon, que l'un de vous entre pour téléphoner, propose-t-il enfin.

Laure suit l'étranger, en s'arrangeant pour laisser le portail grand ouvert.

Les autres entourent aussitôt Quentin :

– Il saigne encore.

– Il est tout blanc.

– Hein... hein... se plaint le blessé.

– Il a appelé m'sieur, venez voir.

Agacé, mais aussi curieux, Fred quitte son poste de surveillance à côté du portail et s'approche de Quentin. Nicolas et Ludovic ne laissent pas passer l'occasion. Ils s'écartent du groupe et se glissent furtivement à l'intérieur de la propriété.

Laure revient avec son guide.

– J'ai eu Mme Renard, crie-t-elle à ses amis, elle arrive tout de suite.

Elle remarque immédiatement la disparition des commandos. Il faut retenir l'attention des habitants de la maison pour leur donner le temps de se cacher. Elle s'avance vers Quentin.

– Regardez, Monsieur, il a ouvert les yeux. Ça va mieux ? demande-t-elle à son copain.

– Hein ? geint Quentin.

– C'est grave, il ne peut plus parler, conclut-elle.

Puis se souvenant de l'histoire d'un

personnage qui avait reçu un coup sur la tête et avait perdu la mémoire, elle ajoute :

– Il est peut-être amnésique.

Les deux hommes la contemplent sans répondre, mais ne s'en vont pas.

La voiture de Mme Renard arrive à ce moment. Avec l'aide de Fred, elle glisse Quentin sur la banquette arrière et l'emmène chez le médecin. Les deux kidnappeurs rentrent chez eux, le portail se referme. Le silence règne à nouveau, la nuit est tombée.

Les enfants se dirigent vers le centre du village. Ils ne savent pas s'ils doivent être fiers ou inquiets. Certes, Ludovic et Nicolas ont pénétré dans la forteresse, mais Quentin s'est réellement blessé.

Gilles et Clothilde sont les plus anxieux. Les jumeaux sont beaucoup plus confiants. Laure commence à trouver qu'ils ont été imprudents.

– On se donne jusqu'à sept heures ce soir. Si, à ce moment-là, ils ne sont pas rentrés, on en parle aux parents, propose-t-elle.

– Sept heures, c'est tôt. Il faut leur laisser un peu de temps pour agir.

– Bon, huit heures, d'accord ?

DANS LA PLACE

Ludovic et Nicolas se sont abrités dans un recoin dissimulé aux regards par les arbres proches. Ils ont entendu avec un serrement de cœur la voiture de Mme Renard s'éloigner, et les voix de leurs copains s'affaiblir peu à peu. Les habitants de la villa sont inquiétants : Fred, avec son nez en lame de couteau et son regard en biais, a une tête d'exécuteur, et le gros étranger leur fait penser à un chef de la mafia.

– Bon, dit Nicolas, prenant la direction des opérations, on cherche une porte ou une fenêtre ouverte.

La façade arrière de la maison est

sombre et silencieuse. S'y trouve bien la fenêtre de la cuisine, mais elle est solidement fermée.

– On va voir de l'autre côté ?

À pas de loup, ils longent le mur jusqu'à l'angle du bâtiment. Là, ils s'arrêtent et restent encore un moment dans l'ombre, protégés des regards par la nuit et les arbres, puis Nicolas rassemble son courage et penche prudemment la tête pour voir ce qui les attend plus loin. Finie l'obscurité. À travers trois larges fenêtres, heureusement assez hautes, la lumière se répand dans le jardin et inonde la pelouse. Ils ne pourront sûrement pas pénétrer dans la maison par là. Il va falloir passer sous les fenêtres et chercher une entrée plus loin. Leur mission ne sera pas facile. Nicolas commence à penser qu'il s'est porté volontaire un peu vite.

« J'aurais dû laisser Ken y aller, se dit-il. J'avais déjà envoyé les messages, ça suffisait. Mais je ne peux plus repartir maintenant, l'Anglais nous attend. » Il jette un coup d'œil à son compagnon qui semble scruter le jardin avec intensité. « Quel courage, pense Nicolas, j'ai pas le droit de me dégonfler. »

« Ce que je suis bête, se dit Ludovic de son côté, j'aurais mieux fait de rester avec les autres. Si les kidnappeurs nous voient, ça va être notre fête, mais si je montre à Nicolas que j'ai la trouille, il va se moquer de moi. » Et il fronce les sourcils pour se donner plus encore l'air d'un espion aux aguets.

– On va jusqu'au coin là-bas ? demande Nicolas avec une grande envie de fuir.

– OK, répond Ludovic stoïque.

Courbés en deux pour que leurs têtes ne dépassent pas l'appui des fenêtres, ils avancent, presque collés au mur. Des bruits de voix et de la musique leur parviennent de la maison. Malgré sa peur, Nicolas est curieux de savoir ce qui se passe dans la pièce au-dessus d'eux.

Il se redresse lentement et jette un bref coup d'œil à l'intérieur. Dans le fond d'une sorte de salon, Fred et l'étranger jouent aux cartes. Une jeune femme, enfoncée dans un fauteuil, regarde la télévision.

– Ils sont là tous les trois, souffle-t-il à Ludovic.

Au moins, ils ne risquent pas de rencontrer les gangsters dans le jardin. Un instant rassurés, ils progressent jusqu'à l'angle suivant. De ce côté, le salon s'ouvre par deux larges portes-fenêtres sur une terrasse entourée d'une petite balustrade de pierre. La porte d'entrée principale se trouve à l'autre extrémité de la terrasse. Derrière eux, s'étend le parc, vaste, un peu à l'abandon et apparemment sans éclairage. En marchant à quatre pattes, ils peuvent rejoindre la porte sans se faire remarquer : la balustrade les cachera, mais après ?

Au prix de quelques écorchures et de beaucoup d'angoisse, ils finissent par atteindre l'entrée. Personne ne les a vus. Ludovic retient son souffle et avance la main vers la poignée, s'attendant à chaque instant à déclencher la sonnerie stridente d'une alarme. La poignée tourne, la porte s'ouvre, rien ne se produit. Ils n'ont plus d'excuse pour se sauver. Leur manœuvre d'approche a parfaitement réussi, maintenant il leur faut pénétrer dans le repaire des bandits.

Ils se trouvent dans une espèce de hall d'entrée sombre et profond.

– Elle sent mauvais cette maison, on dirait une vieille cave.

– Elle devait être fermée depuis longtemps.

– Où va-t-on ?

– On monte, la chambre à la lucarne est en haut.

Grâce aux rais de lumière qui filtrent sous les portes du salon, ils distinguent un

escalier qui semble conduire aux étages. Les marches de bois craquent sous leur poids. Ils ont l'impression que la maison entière peut les entendre et craignent à tout moment que quelqu'un ne survienne. Ils grimpent un étage, puis un deuxième. Un couloir étroit s'enfonce dans les profondeurs de la vieille demeure ; les enfants se cognent aux murs, à de gros meubles qui encombrent le passage. Une faible lueur leur parvient d'une fenêtre du palier, leur permettant approximativement de se guider. Au fond du couloir, une porte. Ils sont suffisamment loin des dangers du rez-de-chaussée pour retrouver quelque courage.

– On ouvre ?

Les gonds grincent un peu, mais personne ne bouge dans la pièce. Ils pénètrent dans une chambre assez grande, éclairée par deux lucarnes.

– Ma maison ! s'exclame Nicolas.

D'une des fenêtres, on a une vue superbe sur son toit et le vélux de sa chambre.

– C'est la lucarne au caleçon !

Sans doute aussi la chambre du prisonnier, mais il n'est pas là.

Nicolas balaie la pièce avec le faisceau de sa torche. Des vêtements, des livres, des jouets sont jetés sur le sol dans un désordre indescriptible. Dans un coin, une télévision, un ordinateur et une pile de jeux électroniques.

– Il est drôlement gâté le prisonnier.

– C'est pour qu'il se tienne tranquille.

– Et lui, où est-il ? Il a dit qu'il nous attendait.

– Il est peut-être en train de dîner.

– Ça m'étonnerait qu'ils le fassent descendre pour ses repas. Ils doivent les lui apporter ici.

– Ils ont dû le cacher ailleurs pour qu'il ne rencontre pas ceux qui apportent la rançon.

– Pourvu qu'il n'ait pas quitté la maison.

Nicolas continue à explorer la chambre. En-dessous de la lucarne, un bureau a été installé. Le prisonnier devait monter dessus pour leur faire des signaux. Curieusement, le meuble est net et propre. C'est incongru au milieu de cette pagaille. Nicolas s'approche. Une enveloppe blanche est posée en évidence au milieu d'un sous-main ; dessus, un petit dessin bleu et vert : un caleçon !

– C'est pour nous ! Il nous a laissé une lettre.

– Montre.

De l'enveloppe, ils sortent une feuille de papier sur laquelle a été gribouillé une sorte de plan. En haut à gauche, un carré dans lequel il a écrit *my room*, et à l'intérieur duquel est dessiné un lit. Un escalier qui descend, s'arrête à un palier puis continue jusqu'à un autre palier où il a marqué *hall*, et de là descend encore pour rejoindre un autre carré appelé *cellar*. Au milieu de ce dernier carré, une croix, et en-dessous, une flèche portant en gros le mot : « *ME* ».

Une petite devinette qu'ils mettent quelques minutes à résoudre. Le carré d'en haut avec le lit, appelé *my room*, ça doit être sa chambre, la pièce dans laquelle ils sont, et la croix tout en bas avec le mot *ME*, doit désigner le prisonnier. *ME* veut dire moi en anglais, ils l'ont déjà traduit. Donc l'Anglais serait installé trois étages en-dessous de la chambre, or ils n'en ont monté que deux.

– Il est au sous-sol ! s'exclame Nicolas.

– Ils l'ont enfermé dans la cave !

– Il va falloir redescendre tout l'escalier.

– S'ils sortent du salon, on est fichus. On devrait attendre qu'ils dorment, suggère Ludovic.

– Il est six heures et demie. On risque de rester coincés longtemps. Ces gens-là se couchent tard, surtout que ce soir, ils attendent la rançon. Et puis si les parents ne nous voient pas rentrer, ils vont téléphoner partout, les autres parleront et ils finiront par venir ici.

– Tu ne crois pas que ce serait une bonne idée, murmure Ludovic. Si les parents arrivent, ils feront libérer l'Anglais.

– Et si les kidnappeurs se sauvent avec lui ?

– On pourra toujours prévenir les gendarmes. Ils nous croiront cette fois-ci.

– C'est pas sûr qu'ils le retrouvent vivant. Non, il faut y aller maintenant.

Mais ils se sentent bien moins courageux que tout à l'heure, comme s'ils avaient utilisé toute leur réserve d'héroïsme pour arriver jusqu'à la chambre au caleçon. L'idée de repartir à la recherche de la cave, dans la maison hostile, leur coupe la respiration. Tous les bruits leur paraissent suspects. Ils n'arrivent pas à distinguer les voix qui viennent de l'émission de télévision de celles des habitants. Dès que le ton monte, ils s'attendent à voir apparaître un ennemi.

Les marches de bois leur semblent craquer beaucoup plus fort qu'à la montée.

Ils sont descendus un peu plus bas que le premier étage quand une des portes du salon s'ouvre brusquement, éclairant le hall d'entrée et l'escalier presque jusqu'à leurs pieds. Ils se figent de terreur. S'ils bougent, on va les entendre, s'ils restent, on va les voir.

Quelqu'un circule deux mètres en-dessous d'eux, déplaçant des objets.

– Je ne trouve rien, dit l'homme à l'accent étranger.

– Dans la poche de mon manteau, répond la voix de la femme.

L'homme remue des vêtements accrochés à une patère.

– Où est-il, ton manteau ?

– J'ai dû le poser dans l'entrée.

L'étranger s'agite, fait tomber quelque chose de mou, grogne entre ses dents, s'approche dangereusement d'eux.

– Tu ne l'aurais pas laissé dans ta chambre, par hasard ?

La chambre, c'est-à-dire sûrement dans les étages ! Il va monter ! C'en est fini des commandos !

– Mais non, s'impatiente la femme, il est en bas, sur le fauteuil, je crois.

L'homme grommelle, pousse un meuble tout près du pied de l'escalier.

– Je l'ai, dit-il enfin.

Puis, tranquillement, il retourne dans le salon et referme la porte derrière lui. Les deux garçons ont l'impression que leurs jambes se ramollissent et qu'ils vont s'effondrer. Nicolas a la nausée tant son cœur cogne fort. Ludovic, le costaud, chancelle et doit s'asseoir pour ne pas tomber. Ils attendent au moins cinq minutes, sursautant au moindre raclement de chaussures, avant de trouver suffisamment de force pour continuer.

Une marche après l'autre, ils finissent par atteindre le rez-de-chaussée. Maintenant, il leur faut dénicher l'accès de la cave, en espérant qu'il est situé dans le hall d'entrée, parce que s'ils doivent passer par la cuisine, ils sentent qu'ils n'en auront pas le courage.

– On essaie par ici, souffle Ludovic en désignant une petite porte enfoncée dans un recoin, à l'opposé de celle du salon.

Cette fois, la chance leur sourit.

Un escalier encombré de balais, de seaux, de vieilles bottes, conduit sous la maison. D'en bas, leur parvient un drôle de bruit, comme un lavabo qui se viderait à petits coups. Ils descendent, le bruit se précise : c'est un reniflement suivi de brefs sanglots étouffés. Nicolas allume sa torche. Un gamin à moitié couché sur le sol, ficelé et bâillonné, contemple la lumière avec des yeux inquiets.

UN ÉVADÉ ENCOMBRANT

– Chut, dit Nicolas en mettant un doigt sur ses lèvres.

Le prisonnier se calme et son visage exprime un intense soulagement quand, à la lueur de la lampe, il peut distinguer les garçons.

C'est un rouquin, de neuf ou dix ans, le visage constellé de taches de rousseur, le nez en trompette, les yeux noisette. Les larmes ont laissé des traînées sales sur ses joues.

Ludovic lui ôte la serviette douteuse qui lui sert de bâillon. D'un coup de couteau, Nicolas coupe les liens qui lui attachent les chevilles et les poignets.

– You, the light ? demande le garçon en empruntant la torche de Nicolas et en faisant des signaux longs, puis courts.

– Yes, répond le commando.

C'est bien eux, *the light.*

– You, le plan ? questionne à son tour Nicolas, en lui montrant le papier trouvé dans l'enveloppe.

– Yes, for you.

86

Il fait signe que le document leur était destiné.

– Pourquoi ils t'ont mis dans la cave ?

– What ?

Manifestement, il ne comprend pas.

– C'est pas important, il nous expliquera plus tard. Maintenant, il faut filer.

Nicolas se tourne vers l'Anglais.

– Nous (geste indiquant qu'ils sont concernés tous les trois) partir.

Il montre la porte.

– Yes, parrtirr, répète le gamin en se levant.

Nicolas remonte prudemment les marches. Il va ouvrir la porte du palier quand des bruits de pas tout proches lui font immédiatement éteindre sa lampe. Les trois garçons s'immobilisent. Des talons hauts de femme claquent sur le sol et passent tout près d'eux.

– It's Maggie, dit le rouquin, don't move.

Ça doit être la femme. Elle monte l'escalier et s'arrête apparemment au premier étage. Elle y circule un moment, tirant, poussant des tiroirs. Pendant un moment, ils ne l'entendent plus. Nicolas rallume.

– No, ordonne l'ex-prisonnier. Not yet, she'll come back.

Ils n'ont compris que « No », mais ça

suffit. Nicolas éteint. Effectivement, le claquement des chaussures reprend, la femme redescend l'escalier et pénètre probablement dans le salon. Ils l'entendent parler un moment avec les hommes, et c'est à nouveau le calme seulement troublé par la voix des acteurs de la série qui passe à la télévision.

Ils attendent encore plusieurs minutes, immobiles dans le noir.

– Now, dit l'Anglais, et il remonte l'escalier.

Nicolas entrouvre la porte, juste assez pour jeter un coup d'œil dans le hall. Personne, mais la femme a laissé la lumière allumée. La sortie va être drôlement risquée.

– On va foncer, dit Nicolas, mais surtout pas de bruit.

Ils font signe au rouquin de se rapprocher d'eux. Groupés comme des coureurs au départ, ils retiennent leur respiration.

– Go, lance Ludovic.

Sur la pointe de leurs tennis, ils parcourent pendant un temps qui leur paraît beaucoup trop long les cinq mètres qui séparent la porte de la cave de celle de l'entrée. La vieille poignée tourne. Ils ont l'estomac affreusement serré et une violente envie de faire pipi. Quelqu'un se lève dans le salon tout proche.

Les conspirateurs se glissent dans le jardin. Ludovic tire la porte derrière lui, sans la refermer complètement et trois silhouettes furtives se réfugient derrière l'abri bienveillant d'un gros rhododendron. Leurs battements de cœur se calment un peu. L'ombre du jardin est rassurante. Sur leur gauche, une allée gravillonnée conduit au portail, beaucoup plus rapidement que le long circuit qu'ils ont fait en arrivant, mais plus à découvert.

– Par ici, dit Nicolas.

Ils évitent les graviers et avancent par sauts de puce sur la pelouse, d'arbuste en massif, à demi accroupis, prenant bien soin de rester le plus invisible possible. De bond en bond, ils finissent par atteindre le porche.

– Careful, dit l'Anglais, en regardant autour de lui avec inquiétude.

Puis il se dirige à pas de chat jusqu'au pilier droit et appuie sur un bouton que les autres n'avaient pas vu. Un déclic se produit, le rouquin tire doucement sur un des vantaux, l'écarte juste assez pour se faufiler dehors, suivi de ses sauveurs, et le referme silencieusement derrière eux.

Ils sont sortis et ils n'en reviennent pas.

– On a réussi !

Nicolas est rayonnant. Ludovic donne de grandes claques dans le dos de l'Anglais, qui ne semble pas encore très rassuré.

L'apparition de phares au bout de la route arrête leurs démonstrations de joie. D'un même bond, ils roulent dans le fossé. Ils commencent à avoir de sacrés réflexes. Une voiture s'approche et se gare le long du mur de la propriété.

– Les types de la rançon, murmure Nicolas.

– Ben dis donc, on a eu chaud.

– What ? demande l'Anglais.

Mais les autres lui font signe de se taire et de s'aplatir.

Deux hommes vêtus de sombre sortent de la voiture. L'un d'eux porte un attaché-case.

– L'argent ! Nicolas fait avec ses doigts le signe de froisser un billet.

– Money ?

– Yes.

– On est là, annonce un des personnages en appuyant sur le bouton du parlophone.

Le portail s'ouvre et les deux porteurs de rançon disparaissent dans le jardin.

– Money, why ?

– Ta rançon.

– Rançon ? Ah ransom ! For me ?

– Yes, deux cent mille francs.

– What ?

Avec un bâtonnet, Nicolas écrit dans la terre humide : 200 000 francs.

– Two hundred thousand francs, for me ?

– Yes, ton père est riche ?

– Rich ? A little.

– Tu t'appelles comment ?

– What ?

– Moi Nicolas, lui Ludovic, toi quoi ?

– Me, Michael Spencer.

– You english ?

– No, american, from Texas.

– Mince, on aurait dû y penser. Son père doit être un milliardaire texan, il y en a plein là-bas. C'est pour ça qu'ils l'ont kidnappé.

– Bon, qu'est-ce qu'on en fait maintenant ?

– On le ramène chez moi. You, maison me, explique Nicolas en montrant les lumières de sa demeure toute proche.

– Ah non, proteste Ludovic, chez moi, c'est mieux.

– Et pourquoi s'il te plaît ?

– Ma mère parle anglais.

– Mon père aussi.

– No, no.

L'Américain coupe court à leur querelle.

– No maison you. They are very clever.

When they realize I am gone, they'll visit every house. Find another place.

– Qu'est-ce qu'il raconte ?

– Comprends pas, mais il ne veut pas aller chez toi.

– Chez toi non plus.

– Mais pourquoi ?

– Je n'en sais rien, mais il a l'air inquiet.

– On va le conduire à la police, alors, propose Ludovic. You police ? répète-t-il à Michael.

– Police, no, no ! répond frénétiquement l'Américain apparemment affolé.

– Mince, il a aussi peur des policiers !

– Il pense qu'ils sont peut-être complices des gangsters.

– Il est idiot.

– En Amérique, ça arrive.

– En Amérique, mais pas en France !

– Pourquoi pas ? Les policiers de Saint-Germain ont bien dit à M. Dubac qu'il n'y avait pas eu de kidnapping. Ils cachent sûrement quelque chose.

– Qu'est-ce qu'on va en faire alors ?

– Il faut trouver un autre endroit.

– On n'a pas d'autre endroit.

– Réfléchissons...

– À l'école ?

– Si la directrice le trouve, elle va prévenir tout le monde.

– Au gymnase ?

– Y a pas de cachette.

– Si, dans la salle des accessoires, là où on entasse les décors et les costumes. Au fond, il y a une espèce de réduit complètement caché par les panneaux des derniers spectacles. On pourrait l'installer là.

– C'est pas sûr que ce soit ouvert.

– Une des fenêtres ne tient pas. Celle qui fait toujours les courants d'air qui gênent M. Blaise.

Nicolas se tourne vers Michael.

– You, venir.

– No maison you, no police, répète obstinément le petit Américain.

– OK, OK, répond Nicolas. T'en fais pas, on a trouvé une autre cachette.

Michael ne comprend pas la dernière phrase, mais il semble deviner que ses nouveaux amis ont eu une bonne idée.

Les trois garçons se hâtent à travers le village. À cette heure, en février, il fait nuit et pas chaud. Les autres enfants sont rentrés chez eux. On ne rencontre dans les rues que les gens qui reviennent de Paris, marchant rapidement de l'arrêt de l'autobus à leur domicile. Ils ont peu de chances de croiser des personnes de connaissance. Néanmoins, par prudence, ils ont placé

94

Michael entre eux deux pour qu'on le remarque le moins possible.

Ils se faufilent le long des immeubles de la Châtaigneraie déserte et atteignent le gymnase. La fenêtre mal close est à l'arrière du bâtiment, loin du logement du gardien. Avec son couteau, Nicolas parvient à écarter le panneau et les garçons se hissent à l'intérieur. Ils traversent la grande salle dans laquelle les décors de l'opéra dessinent des ombres curieuses, et guident Michael jusqu'à un petit couloir au fond duquel se trouvent les toilettes et le débarras aux accessoires. On n'imagine même pas qu'il puisse y avoir un espace libre tant la pièce est encombrée.

– Voilà ! dit Nicolas en éclairant les objets amoncelés avec sa torche.

Michael semble trouver l'endroit à son goût.

Ils dénichent quelques gros coussins qui, empilés, constitueront un matelas très correct et le rideau de scène fera une couverture passable. Nicolas laisse à Michael sa lampe de poche.

– You faim ? demande Ludovic qui commence, lui, à avoir de sérieuses crampes d'estomac.

– Faim ?

– Manger, fait-il avec les gestes.

– Oh yes ! l'Américain sort de sa poche deux barres chocolatées et un paquet de chewing-gum. It's OK, no faim.

– De l'eau, ici.

Nicolas lui montre le lavabo proche.

– Wonderful !

Michael paraît satisfait de la solution trouvée par le commando.

– Ici, il est à l'abri. Demain, on lui apportera des provisions pendant la répétition.

– Nous venir demain, explique Ludovic.

Devant l'air interrogateur de Michael, il mime en parlant.

– Nous dormir (il penche son visage sur ses mains jointes, ferme les yeux et ronfle), après nous revenir (il sort de la pièce en entraînant Nicolas, puis revient à grands pas). OK ?

– OK, thank you.

Puis, les tirant par la manche, l'Américain rajoute, un doigt sur les lèvres.

– You don't speak a word about me, Hush...

– Qu'est-ce qu'il veut dire ? Qu'on ne fasse pas de bruit ?

– Plutôt qu'on se taise, qu'on ne parle de lui à personne.

– Juré, on ne dira pas un mot.

Une fois dehors, ils réalisent d'abord

qu'il est dix-neuf heures trente et qu'ils doivent se dépêcher de rentrer, ensuite qu'il leur faut absolument avertir les autres de ne rien raconter pour le moment au sujet de leur ami kidnappé. Pour pénétrer chez lui discrètement, Nicolas passe par le sous-sol. Sa mère, occupée à la cuisine, ne l'aperçoit pas. Il ferme soigneusement la porte du living-room et compose le numéro de téléphone de Laure.

– Allô, c'est toi ? C'est Nico.

– Tu es rentré ?

– Oui, ça y est.

– Qu'est-ce qui s'est passé ?

– On l'a délivré.

– C'est pas vrai, vous avez réussi. Ça a été dur ?

– Pas trop, mais on a eu une de ces trouilles.

– Où est-il ?

– Caché dans le gymnase.

– Quelle idée idiote !

– C'est lui qui nous l'a demandé. Il ne veut pas qu'on sache où il est, il a même peur de la police. Je t'expliquerai tout demain. Il faut absolument dire aux autres qu'ils ne parlent de lui à personne. Tu peux t'en charger, moi ma mère risque de m'entendre ?

– Je m'en occupe. À demain.

UNE RÉPÉTITION MOUVEMENTÉE

Nicolas et Ludovic ont dû raconter au moins trois fois le récit de l'évasion de la veille, et décrire avec précision leur ami américain. Chacun a voulu voir le plan laissé sur son bureau par Michael, se faire expliquer la disposition des lieux, et l'emplacement des différents personnages.

La bande est en admiration devant le courage et l'ingéniosité de ses commandos, même Gaëtan. Par contre, ils ont du mal à accepter que Michael veuille rester caché. Ils sont si fiers de leur exploit, qu'ils voudraient le raconter à tout le monde.

– Il a certainement de bonnes raisons,

plaide Nicolas. Je vous assure qu'hier soir, il n'a été tranquille qu'une fois enfermé dans le débarras du gymnase.

– Il faudrait lui demander des explications.

– Elles risquent d'être longues, médite Laure, son histoire doit être compliquée. On aura du mal à la comprendre.

– Mais c'est important pour décider ce qu'on va faire ensuite, insiste Ludovic.

– Tu crois ? On sait qu'il a peur et qu'il veut rester caché des gangsters, des gens de Montaigü et même des policiers. Mais ses parents, vous lui en avez parlé ? continue Laure.

– On n'a pas eu le temps.

– Si on lui proposait de leur téléphoner ? Moi, si j'avais été kidnappée, c'est ce que je demanderais en premier.

– Ses parents ont peur eux aussi, puisqu'ils paient la rançon.

– Parce qu'ils ne savent pas où il est enfermé. Mais si on le leur dit, ça change tout.

C'est évident. Ils auraient dû y penser plus tôt.

À treize heures vingt-cinq, sous une pluie battante, Laure court vers l'école en cachant sous son anorak la demi-baguette et le morceau de fromage qu'elle a pris à la cuisine avant de partir, le dictionnaire qu'elle a emprunté à Julie et, dans le fond de sa poche, la question préparée pour Michael. Elle a voulu la composer seule, aussi n'a-t-elle employé que des mots simples, faciles à traduire en anglais : *Nous téléphoner ton père. Donner numéro.* Ce qui donne : *We telephone your father. Give number.*

Tant pis si la grammaire est fausse, Michael devrait comprendre.

Au pied des escaliers qui montent de la Grand-rue au groupe scolaire, elle rencontre les jumeaux, aussi trempés qu'elle et marchant les bras écartés tant les poches de leurs blousons sont gonflées.

– Vous avez quoi ?

– Des oranges et deux boîtes de coca.

Sous le préau, entouré des autres membres de la bande, ils ont la surprise de retrouver Quentin, un gros pansement sur le front.

– T'es pas à l'hôpital ?

– Tu voudrais que je sois à l'hôpital en plus ! On m'a fait une radio, trois points de suture, une piqûre dans le dos et j'ai dû rester au lit toute la matinée. Tu ne trouves pas que ça suffit ?

– T'énerve pas. C'est parce qu'on croyait

100

que tu t'étais cassé le crâne. On était inquiets.

Quentin apprécie et se calme.

– C'était réussi, ma chute, hein ?

– Tu ne peux pas savoir à quel point !

Et, tous en même temps, lui racontent comment Nicolas et Ludovic ont fait évader Michael, l'ont caché dans le gymnase, et pourquoi ils arrivent à l'école les bras chargés de nourriture et de dictionnaires.

– On va aller voir Michael deux par deux pour que M. Blaise ne nous remarque pas, dit Nicolas. Je commence avec Laure parce que l'idée de demander le numéro de téléphone, c'est elle qui l'a eue, et il faut qu'elle soit accompagnée par quelqu'un que Michael connaisse, sinon il n'aura pas confiance.

Il a parlé très vite, si bien que les autres n'ont pas eu le temps de protester.

La répétition débute par la scène au cours de laquelle Siffroy rencontre la fille d'Aramont dans la forêt, et en tombe amoureux.

Clothilde est de mauvaise humeur. Elle préfèrerait rendre visite à l'ex-prisonnier plutôt que de faire des sourires à Legoff, et elle est gênée par les yaourts à la fraise qui remplissent ses poches.

M. Blaise chante l'air de la jeune fille :

Quel est ce charmant cavalier,
Qui se promène solitaire,
Mon cœur en est tout égayé,
Je sens qu'il va me plaire.

– À toi, dit-il en levant le nez. Puis il fronce les sourcils. Tu ne vas pas chanter avec un anorak aussi volumineux. C'est très gênant pour la respiration. Enlève ça.

– J'ai froid, m'sieur, proteste Clothilde qui transpire.

– C'est à cause du courant d'air. Fermez cette fenêtre au fond, ordonne-t-il, et toi, enlève ce vêtement.

Clothilde tend avec précaution son blouson à Ken. Mais Ken est encombré par ses boîtes de coca, un yaourt tombe par terre. Ça fait « plof » !

– Qu'est-ce que vous fabriquez encore ?

– C'est ma balle qui est tombée, dit Ludovic en ramassant prestement le yaourt.

Le pot passe de main en main, et finit par atterrir derrière un arbre de la forêt.

Pendant que Clothilde chante, pas très juste aujourd'hui, Laure et Nicolas se glissent discrètement vers le débarras.

En pénétrant dans la pièce aux décors, ils ont un moment d'inquiétude : Michael

a disparu. Les gangsters l'auraient-ils retrouvé ?

– Michael, appelle Nicolas à voix basse, c'est moi Nicolas.

Le panneau représentant la ferme s'écarte et la tête rousse de l'Américain apparaît entre deux moutons.

– Oh, that's you. I didn't know what all this noise was about.

– Tu vois, explique Nicolas à Laure, on ne comprend rien quand il parle.

Les enfants lui remettent leurs provisions, puis Laure lui tend le message.

L'Américain lit. Nicolas lui donne un crayon et une feuille de papier pour qu'il puisse inscrire le numéro demandé, et soulignant le dernier mot, il répète.

– Number ?

Michael est perplexe. Il les contemple, secoue la tête de droite à gauche et répond :

– No number.

Les autres sont estomaqués. Comment ça *no number ?*

« Il exagère, pense Laure, ou alors il se fiche de nous. On le délivre et il veut rester caché. On lui propose d'appeler ses parents, ils n'ont pas le téléphone. »

– Il ment, dit-elle à Nicolas, tous les Américains ont le téléphone.

Michael réalise que ses amis ne le croient

pas. Il sent qu'une explication est néces-
saire. Il reprend le papier et écrit : *my
father on a boat.*

Heureusement, qu'ils ont emporté des
dictionnaires ! Ils cherchent fébrilement.
My : mon, *Father* : père, (Laure l'a utilisé
dans sa question) *On* : sur ou dessus, *A* :
un ou une, *Boat* : bateau.

– Mince, s'exclame Nicolas, son père est
en train de naviguer, c'est pour ça qu'on
ne peut pas l'appeler.

À ce moment, Ludovic, qui n'a pas eu la
patience d'attendre plus longtemps, pousse
la porte du cagibi, un paquet de chips à la
main.

– Qu'est-ce que vous fichez ? C'est mon
tour maintenant.

À la tête de ses copains, il comprend
qu'ils ont un problème. Nicolas lui explique
la situation de Michael.

Ludovic se concentre, une fois n'est pas
coutume, puis il attrape un dictionnaire,
le feuillette et montre du doigt un mot à
Michael, c'est longtemps et en face, il y a
deux traductions en anglais : *long* et
longtime derrière lesquelles il trace un
grand point d'interrogation.

Quand Ludovic se met à être rapide, il
bat tous les records. Michael reprend le
papier et répond : *he comes back on*

Sunday. I stay here until Sunday and call him.

Cette fois, la phrase est beaucoup trop longue pour tenter de la traduire sur place : le temps presse, la répétition avance et le reste de la bande doit s'inquiéter dans le gymnase.

Nicolas, que la démonstration de Ludovic a stimulé, écrit rapidement : « Nous revenir demain. » Il tend le texte à Michael ainsi que son dictionnaire et les trois complices se sauvent.

Pendant ce temps, sur la scène, Siffroy a été séduit. Il est à genoux devant Clothilde qui recule à mesure que le prince avance, en chantant à gorge déployée :

> *Je n'ai jamais de ma vie, vu*
> *Une aussi charmante beauté,*
> *Je crois bien que je lui ai plu,*
> *Je m'en vais bientôt l'épouser.*

La tête de Clothilde devrait le convaincre du contraire, mais, c'est bien connu, l'amour rend aveugle.

M. Blaise est satisfait.

– Le chœur des paysans, maintenant, annonce-t-il.

Les paysans se groupent autour du piano. Voyant revenir Laure, Nicolas et

106

Ludovic, les jumeaux se dirigent vers la sortie.

– Eh ! Vous deux, venez chanter !

– Mais, m'sieur, on fait les chevaliers.

– Vous faites aussi les paysans dans la forêt.

À contrecœur, ils se rapprochent, se plaçant le plus possible à l'écart du professeur.

M. Blaise attaque :

Comme ce Prince est inconscient,
Il ignore que sa dulcinée
A le père le plus méchant
Que la terre ait jamais porté.

Ils font semblant de chanter. Ils ont trop chaud. Ken a soif. Il sort discrètement une canette de sa poche. Mais le coca aussi est chaud. Quand il le décapsule, la boîte siffle et le liquide jaillit sur les jambes des autres paysans, qui s'écartent en traitant Ken d'imbécile.

– Les jumeaux, vous passez devant, ordonne M. Blaise qui commence à perdre patience.

Ken cache le coca dans son dos.

– Qu'est-ce que tu tiens ?

– Rien, m'sieur, dit Ken en donnant précipitamment la boîte à Gilles et en montrant ses mains vides.

M. Blaise est sceptique, mais il n'a ni le temps ni l'envie de faire une enquête.

– Reprenons.

Après le chœur des paysans, c'est le tour du solo d'Aramont.

Quentin saute sur la scène.

– Qu'est-ce qui t'est arrivé ? demande M. Blaise, à la vue du pansement impressionnant du sorcier.

– Blessure de guerre, annonce fièrement Quentin.

Les points de suture n'ont pas entamé la vitalité d'Aramont. Il grince, en se frottant les mains :

Pauvre benêt de Prince Siffroy,
Si tu savais ce que je te prépare
(ricanements sadiques)
Tu tremblerais de honte et d'effroi
(voix sinistre)
Et te sauverais sans retard.

Quentin fait un grand pas de côté en tendant le bras en un geste de malédiction. Il est vraiment très bon comédien, presque trop : le bras a bousculé un arbre, qui s'incline dangereusement. Quentin recule et met le pied en plein dans le yaourt de Clothilde. L'effet est désastreux : les paysans, qui doivent frissonner de peur, se tordent de rire.

Occupé par le numéro de Quentin, le professeur ne prête pas attention aux manœuvres des autres membres de la bande.

Clothilde peut enfin apporter à Michael le yaourt qui lui reste, Gilles ses trois tablettes de chocolat, et Gaëtan ses pommes. Leur ami ne risque pas de mourir de faim.

Pendant que leurs copains vont livrer leurs provisions, Nicolas et Laure commencent à chercher le sens de la réponse de Michael, mais ils ne comprennent pas grand chose en dehors du mot *Sunday* qui veut dire « Dimanche ». Il doit certainement se passer quelque chose ce jour-là.

– On continuera ce soir à la maison.

L'ensemble de la troupe quitte le gymnase relativement satisfait, à part les jumeaux qui doivent repartir avec leur coca et leurs oranges.

UN KIDNAPPEUR AUX TROUSSES

Le texte écrit par Michael n'est pas facile à interpréter. Il y a trop de mots pour lesquels le dictionnaire donne plusieurs significations et ils ne savent pas laquelle choisir.

Or, ils ne peuvent pas se permettre d'erreur : la sécurité de leur ami en dépend.

Laure propose finalement de demander à nouveau l'aide de Julie. D'abord elle est bonne en Anglais, et puis elle n'a que quatorze ans ; si on lui raconte une histoire qui a l'air vraie, elle la croira.

Ils ont donc inventé l'existence d'un ami anglais qui habiterait chez Clothilde en ce moment et avec lequel ils essaient de communiquer. Julie s'est contentée de cette explication et a fourni la bonne traduction : « Mon père revient dimanche. Je reste ici jusqu'à dimanche et je lui téléphone. »

– Il va rester encore trois jours enfermé dans le débarras du gymnase, s'inquiète Clothilde, c'est long, et aujourd'hui, il n'y a pas de répétition, on ne pourra pas aller le voir, il va s'ennuyer.

– S'il s'ennuie, c'est pas grave. Au moins il est à l'abri.

– Tu ne crois pas que d'ici dimanche, les kidnappeurs vont réussir à le retrouver ?

– Comment veux-tu qu'ils pensent à fouiller le gymnase ?

– Eux, peut-être pas, mais le gardien pourrait entrer dans le débarras pour prendre des outils ou pour ranger.

– Michael est vraiment bien caché et le gardien ne range pas grand-chose là-dedans. Il considère que ce sont les affaires de M. Blaise. Quant aux outils, ils sont placés juste à côté de la porte, il ne verra pas forcément qu'il y a quelqu'un tout au fond.

– À condition que Michael ait éteint la lumière.

– Même si elle est allumée, le gardien

croira que c'est nous qui l'avons laissée comme ça.

– Et dimanche, comment va-t-on le faire partir ? En plein jour, on nous remarquera.

– Il faudrait y aller très tôt le matin, les gens font la grasse matinée, on ne rencontrera pas beaucoup de monde.

– Qu'est-ce qu'on racontera aux parents pour qu'ils nous laissent sortir à cette heure-là ?

– On dira que les copains ont un match de foot et qu'on va les soutenir. Il y a souvent des matchs le dimanche de bonne heure.

Il est quatre heures et demie, ils sortent de l'école et continuent à mettre au point la manœuvre prévue pour dimanche matin. Ils ont peur d'oublier des détails importants qui pourraient faire échouer leur plan à la dernière minute.

– J'apporterai un anorak et une cagoule de ski pour habiller Michael, comme ça il aura plus chaud, et on ne le reconnaîtra pas, propose Gilles.

Tout en discutant, bien groupés à l'écart des autres écoliers pour qu'on ne les entende pas, ils descendent l'escalier qui conduit de l'école à la Grand-rue.

Gaëtan, que sa mère vient attendre ce jour-là, la cherche des yeux parmi le groupe des parents rassemblés sur le trottoir, quand il remarque un long bonhomme maigre au grand nez, qui semble observer les enfants avec attention, en particulier les garçons.

– Regardez, on dirait Fred.

Laure et Nicolas le reconnaissent aussitôt. La bande s'immobilise.

– Il cherche Michael !

– Pourquoi vient-il à l'école spécialement ? Montaigü, c'est grand.

– Il a deviné que ce sont des enfants qui l'ont aidé à s'évader.

– C'est nous qu'il cherche alors ?

– Pas forcément, il ne sait pas qui a organisé la fuite de Michael.

– Tu penses bien qu'il se souvient de la bande qui a fait du chahut devant chez lui et a sonné à sa porte.

– On était déguisés, il ne nous reconnaîtra pas.

– Vous peut-être, mais moi je suis allée téléphoner dans la maison, il m'a bien vue, dit Laure en rabattant le capuchon de son anorak sur sa tête.

– S'il comprend qu'on est complices de Michael, il va essayer d'attraper l'un d'entre nous pour le faire parler !

– Il faut filer par un autre chemin.

Le petit groupe remonte aussitôt l'esca-

113

lier, mais Fred, alerté sans doute par leur brusque mouvement, lève la tête et, jetant un dernier regard autour de lui, leur emboîte le pas.

– Il nous suit !

– Par ici.

Nicolas fonce en tête, il retourne vers l'école, sa troupe sur les talons. Ils passent en trombe sous le nez de M. Taquet qui n'a pas le temps de leur poser de questions, traversent le préau, s'enfilent dans le couloir, longent la salle des maîtres, le bureau de la directrice et se retrouvent dans la cour de derrière qu'ils traversent encore plus vite, montent jusqu'au bâtiment de la cantine, le contournent par en haut et atteignent enfin, haletants, le champ de poiriers proche du cimetière.

Là, ils s'arrêtent, se regroupent et osent enfin se retourner. Fred n'est pas derrière eux.

– Il nous a perdus dans l'école.

– Ou alors, il n'a pas osé nous suivre à cause de M. Taquet.

– Il est reparti chez lui.

– Ou bien il attend sur la place de la mairie. Il pense qu'on va repasser par là, c'est au milieu du village.

– Si Fred était à l'école, les autres

devraient aussi circuler dans Montaigü pour chercher Michael ou nous, dit Laure.

– Il va falloir faire drôlement attention en rentrant à la maison.

Quand, au bout d'un quart d'heure, Fred n'a toujours pas reparu, ils se décident à quitter l'abri des poiriers et à tenter de repartir chez eux. S'ils restent tous ensemble, Fred risque de les identifier. Ils se séparent en trois groupes, en fonction de l'endroit où ils habitent : Gilles, Nicolas et Ludovic vont à l'est, vers le chemin des Heuleux, le parcours le plus dangereux car le plus proche de la maison des gangsters ; Clothilde, Gaëtan et Quentin vers l'église et la place de la mairie, mais en passant par l'arrière ; Ken, John et Laure vers l'ouest.

– Si vous rencontrez un des kidnappeurs, essayez de ne pas montrer que vous savez qui il est. Ils ne nous reconnaîtront pas forcément, ils ne nous ont pas bien vus l'autre soir, conseille Nicolas. Mais si vous avez l'impression qu'il vous a repérés, n'hésitez pas à entrer dans un magasin ou à parler à quelqu'un, même que vous ne connaissez pas. Pénétrez dans une maison, faites n'importe quoi pour ne pas rester seul en face de lui.

Ce discours, pourtant plein de sagesse,

ne les rassure guère, et chaque trio s'éloigne des deux autres à regret.

Ken, John, et Laure descendent par la sente des Graviers (un raccourci connu des écoliers) et empruntent la rue piétonne. Laure court devant, suivie de près par Ken. John, encombré par un cartable plus lourd et n'y voyant pas très clair, à cause de sa capuche qui lui tombe sur les yeux, les suit comme il peut. Il glisse sur la chaussée mouillée, butte contre un pavé, chancelle et dégringole dans les jambes d'un passant qui arrive de sa droite à grands pas. Il se relève, va rouspéter et se retrouve face au regard inquisiteur de Fred.

– P... Pardon, bafouille John.

Le kidnappeur ne répond pas et le dévisage attentivement. John ne ressemble pas du tout à Michael, et il n'est pas écrit sur sa figure qu'il a organisé son évasion. Il peut passer pour un élève ordinaire, sorti en retard de l'école et qui se dépêche de rentrer chez lui... à condition que Fred ne devine pas qu'il meurt de peur.

Alors, John se souvient d'un truc qu'il utilise quand on doit lui faire une piqûre : il se pince le bras très fort au moment où l'infirmière le pique, ainsi il n'a pas le temps de penser à l'aiguille qui va lui rentrer dans la fesse. Sans hésiter, il coince entre deux doigts la peau de sa cuisse et serre tellement qu'un cri de douleur lui échappe.

Fred le regarde étonné. Il doit penser que le gamin s'est fait mal en tombant. John se frotte la jambe avec énergie, sans oser lever les yeux sur Fred, puis il réendosse son cartable et s'éloigne, le plus calmement possible, en boitillant.

Quand John rejoint enfin Laure et son frère, il a tellement mal au cœur qu'il vacille. Laure le rattrape avant qu'il ne tombe à nouveau.

– Ne vous retournez pas, continuez à marcher, leur souffle-t-il.

Ce n'est que parvenu devant sa maison, et après s'être discrètement assuré que le gangster ne les a pas suivis, que John est enfin capable d'expliquer sa mésaventure. Son cran et sa présence d'esprit lui valent les félicitations de Ken et Laure, ce dont il a besoin pour se réconforter.

Ce soir-là, les parents trouvent que les CE 2 occupent beaucoup le téléphone. Chacun a voulu appeler les huit autres pour s'assurer qu'aucun d'entre eux n'avait été kidnappé en route et John devient le héros de la soirée.

L'agitation de la bande est à son comble, car comme le pressentait Laure, Fred n'était pas le seul à faire le guet dans le village. Clothilde a aperçu le gros étranger qui interrogeait les passants devant la mairie et Nicolas a croisé Maggie au supermarché. Elle aussi avait l'air de chercher quelqu'un et observait particulièrement les enfants.

– Demain matin, faites-vous conduire à l'école par vos parents ou partez avec un copain, conseille Nicolas, et demandez qu'on vienne vous chercher à midi.

Puis, dans une dernière conversation avec Laure, il conclut :

– Pourvu que dimanche, les kidnappeurs dorment encore quand on ira chercher Michael au gymnase.

COUP DE THÉÂTRE

Ils ont tous trouvé un prétexte pour se faire accompagner en classe. Mais, pas plus dans les rues que devant l'école, ils n'ont aperçu les kidnappeurs. Clothilde espère qu'ils ont abandonné leurs recherches, mais les autres n'y croient pas beaucoup. Ces gens sont organisés, ils ne vont pas renoncer si facilement à toucher une grosse rançon.

M. Blaise a accepté que, pour ce matin, ceux qui ont un costume déjà prêt l'apportent à la répétition. Ludovic arrive avec un gros sac contenant son armure au complet : cuirasse, heaume, cuissard, gantelets, bouclier et, bien sûr, son épée. Quentin a tellement insisté auprès de sa mère qu'elle lui a fabriqué très vite une grande robe noire et un chapeau de magicien sur lequel il a collé des têtes de mort en papier d'argent et accroché toutes ses médailles de judo. Clothilde a apporté sa tenue de fée et Laure une jupe longue empruntée à une de ses sœurs.

Nicolas fait passer la consigne :

– On se met au fond sur les marches. Dès qu'ils ont commencé à chanter, je file voir Michael. Vous attendez que je revienne et que M. Blaise soit occupé pour y aller à votre tour.

M. Blaise annonce :

– Pour les changements de costume, les filles à gauche et les garçons à droite.

Laure et Clothilde se dépêchent de s'habiller pour rejoindre le reste de la bande. Les jumeaux enfilent les casques que leur maman, très habile, leur a confectionnés avec du carton, du papier de couleur et des plumes. Ils sont superbes : un rouge et un noir. Ludovic en est jaloux.

On installe la forêt pour le premier acte. Le professeur de musique tape dans ses mains :

– Les paysans, en place, pour le chœur du début.

Il a beaucoup de mal à obtenir que Ken et John, qui font les paysans, ôtent temporairement leur casque de chevalier.

Le peuple enfin rassemblé sur la scène, M. Blaise joue un *la*, et la répétition commence. Ils connaissent à peu près leur texte et ne chantent pas trop mal.

Nicolas disparaît très discrètement. Laure, anxieuse, ne quitte pas des yeux la porte du couloir. M. Blaise fait recommencer le couplet des paysans. Nicolas ne revient pas.

– Pourvu que Michael soit toujours là, se dit Laure. Si nous n'avons pas rencontré les gangsters ce matin, c'est peut-être qu'ils l'ont trouvé cette nuit.

À ce moment, son regard est attiré par un groupe de gens qui, venant de l'école, se dirige vers le gymnase. Une visite à cette heure-ci ? Peut-être des inspecteurs qui viennent observer les expériences pédagogiques de M. Blaise. Oui, Mme la Directrice est avec eux. Il y a deux hommes en imperméable, un grand type costaud, bronzé et élégant, et un long maigre... au nez crochu.

– Fred, murmure-t-elle en devenant toute blanche.

Les autres se rapprochent d'elle immédiatement.

– Quoi, Fred ?

– Là.

Elle leur désigne du doigt les arrivants qui, pour le moment, sont en grande discussion.

– Il y a d'autres personnes avec lui.

– Les deux en imperméable doivent être ceux qui ont apporté la rançon.

– Il manque Maggie et le gros.

– Et le quatrième, le grand, on ne l'a jamais vu.

Le nouveau personnage semble diriger les opérations et parler avec autorité à ceux qui l'entourent.

– C'est sûrement le chef. Il a dû arriver hier, quand il a su que les autres ont laissé s'enfuir Michael.

M. Blaise arrête de jouer, se lève et annonce que si le silence n'est pas respecté, il change les rôles : les chevaliers feront les paysans. Tout le monde se tait jusqu'à ce que la mélodie reprenne.

– Qu'est-ce qu'ils font ?

– Tu vois pas qu'ils visitent l'école. Ils cherchent Michael. Ils ont dû raconter une histoire à la directrice pour avoir l'autorisation de pénétrer dans les classes.

– Alors, ils vont venir ici aussi, s'affole Gilles.

– Ils viennent ici, coupe Laure.

– Mais, s'ils fouillent partout, ils vont trouver Michael.

– Évidemment, continue Laure, à moins que... j'ai une idée. Ludo, pendant que M. Blaise est occupé par les paysans, tu vas rejoindre Nicolas. Doucement hein ! Ne te cogne pas ! Une fois dans le débarras, passe ton armure à Michael. Il est un peu plus grand que toi, mais pas beaucoup. Avec le heaume et la visière, personne ne le reconnaîtra.

– Et moi, alors ?

– Tu te déguises en paysan avec les affaires des jumeaux.

– Ça va pas, non ! Je suis le héros de la pièce et tu veux que je mette un costume de pouilleux !

– Écoute, Laure commence à s'énerver, tu seras le héros de la pièce le jour de la représentation. Aujourd'hui, tu es le héros sauveur de Michael, vu. Et grouille-toi : ils arrivent.

Flatté par l'importance de sa mission, Ludovic réussit à descendre les gradins sans se faire remarquer et se glisse dans le couloir. Il était temps. La porte du gymnase s'ouvre, Mme la Directrice pénètre dans la salle avec les quatre hommes. M. Blaise est étonné de cette visite impromptue. Il fait arrêter les chanteurs.

Mme la Directrice parle un moment au professeur, à voix trop basse pour que les enfants puissent entendre. M. Blaise se tourne vers les paysans :

– Allez vous rasseoir sur les gradins. Madame Durand a quelque chose d'important à vous dire.

À ce moment, le Chevalier Costaud, suivi de Nicolas, revient du couloir.

– Où étiez-vous passé ? s'étonne M. Blaise.

– Aux toilettes, m'sieur, répond Nicolas en guidant le Chevalier vers ses copains.

Mme la Directrice monte sur la scène, tousse deux ou trois fois pour s'éclaircir la voix, prend le micro, le repose, le reprend et se décide.

– Voilà, dit-elle, ces messieurs viennent de m'apprendre une histoire très inquiétante, et ils comptent sur vous pour les aider.

En chaussettes, Ludovic sort à son tour du couloir. M. Blaise paraît surpris. Il regarde tour à tour Nicolas et le Chevalier Costaud sur les gradins, puis Ludo qui enfile le collant et le pull de Ken. Il se gratte la tête, mais ne veut pas interrompre le discours de Mme la Directrice. Ludovic, devenu paysan, se fond dans la foule et finit par rejoindre la bande. Il s'assoit à côté de son armure. M. Blaise est de plus en plus perplexe.

– Donc, continue Mme la Directrice, voici ce que ces messieurs m'ont expliqué. Ils habitent chemin des Heuleux, dans une maison qu'ils ont louée pour un mois et où ils gardaient un petit Américain, Michael Spencer, pendant un voyage de son père. Or, depuis trois jours, le garçon a disparu. On pense qu'il n'a pas pu aller très loin. Il a certainement circulé dans le village. Nous allons faire passer une photo de lui, vous la regarderez avec attention, et vous direz à ces messieurs si vous l'avez rencontré.

Elle prend un papier des mains de Fred et le tend à l'élève du premier rang. En haut des gradins, autour de l'armure du Chevalier Costaud, règne un silence de mort.

– Ce monsieur voudrait vous parler, ajoute Mme la Directrice.

L'homme grand et bronzé, le chef, grimpe sur l'estrade en deux enjambées. L'armure de Ludovic a l'air d'avoir la tremblote. Quentin trépigne, saute sur son siège, gronde :

– Ah ! les salauds, les salauds !

– Je parle pas bien français, dit l'homme avec un fort accent américain, mais je veux dire à vous que ce garçon très important pour moi, je aime beaucoup lui...

– C'est pas vrai, hurle Quentin qui n'a pas pu se retenir, c'est pas vrai, lui c'est le chef des kidnappeurs et tout ça, c'est du baratin pour reprendre Michael et toucher une grosse rançon.

La foudre serait tombée dans le gymnase que la stupeur n'aurait pas été plus grande.

Mme la Directrice a un hoquet de surprise. Les élèves regardent Quentin avec ahurissement. Les membres de la bande sont absolument fous de rage. Quentin devient rouge de honte. L'armure se tient parfaitement immobile.

– Qu'est-ce que tu racontes ? demande enfin l'homme bronzé.

Mais Quentin ne peut plus articuler un mot.

Puisque cet idiot a vendu la mèche, maintenant il n'y a plus qu'une solution, continuer jusqu'à ce qu'on les croie. Héroïque et responsable, Nicolas reprend le flambeau.

– C'est vrai ce qu'a dit Quentin. Ce type est un kidnappeur et les autres aussi. Ils ont enlevé Michael car son père est un milliardaire texan. Ils veulent une grosse rançon. Ils ont d'ailleurs déjà touché deux cent mille francs, on les a vus.

– Comment tu dis ? Deux cent mille francs ?

L'homme sur la scène est étonné. Il

regarde Fred d'un air interrogateur. Fred baisse le nez, mal à l'aise.

– Je te parie que le chef ne savait pas que les autres avaient déjà touché une partie de la rançon, glisse Ludovic à l'oreille de Laure. Ça va chauffer !

– Oui deux cent mille francs, quarante mille chacun, ils ont dit. Ils étaient cinq : Fred, Maggie, le gros et les deux qui ont apporté l'argent.

Fred ne sait plus où se mettre. Les hommes en imperméable s'écartent imperceptiblement du groupe comme s'ils voulaient fuir. Le grand type bronzé est véritablement stupéfait :

– Tu dis que tu les as vus ? insiste-t-il.

– Laure aussi, répond Nicolas en désignant sa voisine.

– Et ils avaient l'argent ?

– Oui, dans un attaché-case.

– Comment tu sais que Michael prisonnier ?

Pour un chef de gang, il pose beaucoup de questions. Tant pis, il faut répondre et frapper un grand coup. Devant tout ce monde, ils n'oseront pas user de violence.

– Parce qu'on l'a fait évader.

– Tu as fait évader lui ?

– Pas moi seul, nous tous.

Et d'un geste large, il montre ses troupes.

– Et il est où maintenant ?

Silence total. Seul M. Blaise sourit.

– Tu ne veux pas me le dire.

– Non, Michael nous a fait promettre de ne pas révéler sa cachette.

– Mais il est fou. Tu l'as mis dans ta maison ?

– Sûrement pas. Michael voulait que personne ne soit au courant de son évasion. Il a même peur de la police.

– De la police ?

– Les policiers sont vos complices. Ceux de Saint-Germain en tout cas.

Les hommes en imperméable font une drôle de tête.

– Qu'est-ce que tu inventes ?

– J'invente rien. On a été voir M. Dubac à la mairie. Il a téléphoné au commissariat et les policiers lui ont dit qu'il n'y avait pas eu de kidnapping.

– Et pourquoi toi, tu as pensé que Michael kidnappé ?

– Il nous a envoyé des messages.

Alors, bizarrement, l'homme bronzé se détend et sourit :

– Ah des messages ! Et ils disaient quoi ces messages ?

– Qu'il était prisonnier de gens dangereux. Alors, on l'a prévenu qu'on allait le délivrer.

– Et vous délivrer lui ?

– Oui, la nuit. Il était enfermé, ficelé dans la cave.

– Quoi ? À la cave !

L'Américain est sidéré. Il se tourne vers Fred et demande :

– *Did you ever put him in the cellar* ? (1)

– *Of course not* ! (2)

Puis, se tournant à nouveau vers Nicolas :

– Tu racontes des histoires ! Michael jamais prisonnier à la cave.

– Bien sûr que si, crie Ludovic, j'y étais moi aussi. On l'a cherché dans la maison. Sa chambre était vide ; on a trouvé son dessin avec le caleçon, on est descendu au sous-sol et là, il était bâillonné et ficelé et il pleurait, je le jure.

– *Fred, what about these two hundred thousand francs and Michael tied up in the cellar* ? (3) commence à s'énerver l'Américain.

Fred ouvre les bras en signe d'incompréhension. L'homme se tourne à nouveau vers les enfants :

– Cette histoire est idiote. Michael jamais kidnappé. Il habite la grande maison.

(1) Est-ce que vous l'avez mis à la cave ?
(2) Bien sûr que non.
(3) Fred, qu'est-ce que c'est que cette histoire de 200 000 francs et de Michael ficelé à la cave ?

Jeudi, je reçois message : Michael disparu. Je prends avion, voiture, j'arrive ici. Pas de Michael. Je téléphone aux policiers, hôpital, en Amérique, partout, je dors pas, je me fais beaucoup beaucoup de soucis, *much, much worried* (1), continue-t-il en anglais.

– *Really*, dit alors une petite voix qui sort de dessous le casque du Chevalier Costaud, *you did worry about me* ? (2)

– *Michael, where are you* ? (3)

– *Here*, (4) répond le rouquin en enlevant son casque et en descendant les gradins.

Et sous les yeux totalement stupéfaits de la bande, le chef des gangsters serre très fort dans ses bras son prisonnier.

(1) Beaucoup, beaucoup de soucis.
(2) C'est vrai, tu t'es *vraiment* fait du souci à mon sujet ?
(3) Michael, où es-tu ?
(4) Ici.

QUELQUES EXPLICATIONS

D'abord, ils n'y comprennent rien, parce que juste après l'embrassade, le grand type bronzé se met manifestement à engueuler Michael. Bien que ce soit en anglais, on s'en rend compte. Michael proteste avec véhémence. Lui aussi, il rouspète, plutôt rageusement. L'homme finit par l'écouter, de plus en plus attentivement. Puis il le prend amicalement par les épaules et tous deux parlent pendant un bon moment. Fred, l'air ennuyé, se retire vers le fond du gymnase et les deux hommes en imperméable, pas tellement contents, saluent le chef des kidnappeurs et s'en vont à pas pressés.

Enfin Michael se retourne, dit quelque chose au grand Américain et fait signe aux membres de la bande.

– Comme here, come. Vous, venir.

Eux ?

– Yes, yes, you.

Ils se lèvent, hésitent, descendent les gradins, montent sur la scène. Michael les prend l'un après l'autre par les épaules et présente :

– Nicolas (assez satisfait de passer le premier).

– Ludovic (en chaussettes, mais qui bombe le torse).

– Laure (qui perd sa jupe).

– Quentin (dont le bonnet de sorcier tombe sur le nez).

– Clothilde (rose de plaisir).

– Ken et John (qui ont récupéré leurs casques de chevalier).

– Gilles (très ému et dont les lunettes glissent).

– Gaëtan (qui, pour une fois, ne bougonne pas).

Puis, désignant le grand monsieur bronzé :

– John Spencer, my father, mon père.

– M... alors, lâche Quentin.

Ils ne savent plus quoi penser. Puis, une fois qu'ils ont compris, ils sont furieux : ils se sont donnés tout ce mal, ont risqué de se faire punir, n'ont pas dormi, se sont blessés, ont inventé des ruses et des stratégies, pour rien du tout. Michael n'était pas prisonnier. Il attendait simplement, gardé par des employés, que son père revienne de croisière. Ils ont été manipulés comme des débutants !

En fait, les choses ne sont pas si simples, mais Michael n'a pas envie de leur donner plus d'explications devant l'ensemble des CE 2, les maîtres, les maîtresses et Mme la Directrice.

C'est le soir, après l'école, dans le salon de la maison du chemin des Heuleux qu'ils apprennent toute l'histoire. M. Spencer n'est pas un milliardaire couvert de puits de pétrole, mais un avocat de Houston un peu trop occupé, qui traite des affaires importantes partout dans le monde. Après la mort de sa mère, dans un accident de voiture trois ans auparavant, Michael est resté seul avec lui. Mais l'avocat n'a pas beaucoup de temps à consacrer à son fils. Pour le distraire, il a acheté un ranch et quelques chevaux, dont un pour Michael. Le garçon vit en semaine avec ses copains de classe et le week-end parmi les chevaux, rarement avec son père.

Et voilà qu'il y a trois semaines, M. Spencer décide qu'il a besoin de vacances et propose à Michael de l'emmener en voyage en France avec lui. Le gamin est fou de joie. Ils visitent Paris, la Côte d'Azur, le Périgord et arrivent à La Rochelle. Là, John Spencer est séduit par les superbes voiliers de course et peut-être aussi par une jolie jeune femme. Il a envie de partir en mer, mais sans Michael parce que, prétend-il, l'enfant est trop jeune pour vivre plusieurs jours sur un bateau, loin de tout.

Il confie le garçon à des employés de son bureau de Paris, leur dit de louer une grande maison quelque part, de s'y installer et de gâter Michael pour lui faire prendre patience en attendant son retour.

C'en est trop pour le garçon. La seule fois depuis des années où son père peut passer quelque temps avec lui (sur un voilier en plus) il le laisse tomber, et tout ça pour une femme qu'il vient juste de rencontrer.

À défaut de son père, il va se venger sur ses gardiens : désagréable, insolent, il refuse de se lever et de manger à des heures normales, les dérange constamment.

Ceux-ci, qui n'apprécient pas du tout d'avoir à jouer les nourrices, qui plus est d'un gamin insupportable, se contentent de nourrir Michael et de le bourrer de cadeaux afin qu'il se tienne tranquille. Et pour occuper leurs soirées, ils organisent des parties de poker ou de backgammon avec des amis venus de Paris. Les hommes que les enfants ont vus arriver le soir avec l'attaché-case étaient des partenaires de backgammon, et l'argent dont Fred a parlé était leur mise pour la partie. (Il paraît que l'on peut gagner ou perdre des fortunes ainsi).

Michael s'ennuie à mourir. Empoisonner la vie de Maggie, de Fred et du gros homme ne suffit plus à le distraire.

En observant les environs, il remarque le groupe de gamins qui fréquente la maison d'en face. Pourquoi ne pas essayer d'entrer en contact avec eux ?

Aller les voir et leur proposer de jouer avec lui, lui paraît trop banal et risque de ne pas intéresser les petits Français, car il ne parle pas leur langue. Son imagination se met alors à fonctionner. Seul enfant dans cette grande maison, inconnu de tous et surveillé par des adultes peu sympathiques, il pourrait passer pour un prisonnier.

L'idée lui vient d'inventer une histoire de kidnapping, dont il serait le héros. Et si effectivement la bande réussit à le faire évader, ça flanquera une belle panique chez ses gardiens, et par la même occasion, permettra peut-être d'inquiéter son père.

Placer son caleçon sur la lucarne lui semble un acte suffisamment étrange pour attirer l'attention. Quand il reçoit les premiers signaux lumineux, il est enchanté. Il devine rapidement que les enfants essayent de lui envoyer des messages en morse, comme les télégraphistes dans les westerns. Évidemment, il n'en saisit pas le sens, d'abord parce qu'il ne pense pas tout de suite à noter ce qu'il voit (pour le déchiffrer après), ensuite parce qu'il ne comprend pas le français. Dans une encyclopédie poussiéreuse, il déniche un alphabet morse et rédige sa première réponse.

– Mais pourquoi étais-tu attaché lorsqu'on t'a trouvé dans la cave ? demande Ludovic.

Là, il prend le risque que les autres habitants de la maison découvrent son manège, mais ça paraîtra tellement plus vrai si les enfants le trouvent ligoté au sous-sol ! Il leur laisse le dessin bien en évidence sur le bureau, puis il descend en douce, se met un bâillon sur la bouche, s'attache les chevilles et les mains le mieux qu'il peut et pense à des choses très tristes pour se faire pleurer.

Maggie, Fred et le gros homme sont occupés par la préparation de leur partie nocturne. Ils lui ont apporté de nouveaux jouets pour qu'il leur fiche la paix. Et lui, il a déclaré qu'il ne descendra pas dîner.

Dire que Nicolas et Ludovic ont cru réussir le commando le plus risqué de leur vie !

Quand ses gardiens s'aperçoivent de sa disparition, ils s'affolent. Enfin, ne le retrouvant pas, ils essayent de joindre M. Spencer par radio. Si les enfants avaient ramené Michael chez eux, les parents auraient aussitôt averti les gendarmes, qui seraient allés dans la maison du chemin des Heuleux, où Fred et les autres auraient expliqué la vérité. C'est pourquoi le petit Américain voulait absolument trouver une autre cachette et y rester le plus longtemps possible.

M. Spencer semble avoir compris la leçon. La preuve : il a dit à toute la bande qu'ils étaient des copains formidables, mais aussi une équipe sacrément astucieuse et efficace pour avoir trouvé le moyen de faire sortir Michael de la maison sans que les adultes s'en aperçoivent, et l'avoir caché pendant trois jours à toute la population de Montaigü. Des professionnels n'auraient pas fait mieux.

Les neuf ne sont pas peu fiers de ce compliment.

– Et les hommes en imperméable, qui vous accompagnaient ce matin, c'était qui ?

M. Spencer explique qu'il s'agissait d'inspecteurs de police, à qui il a demandé de l'aider à retrouver son fils, et qui n'étaient pas très satisfaits d'avoir été dérangés pour rien.

Michael et son père sont restés encore quelques jours à Montaigü.

Le petit rouquin est même venu à l'école où il a donné à ses copains une leçon de football américain dont ils se souviendront longtemps ainsi que Mme la Directrice qui n'a jamais soigné autant de bosses et posé autant de pansements en une matinée.

Tous voudraient le garder. Il fait partie de la bande maintenant. Chacun propose de le recevoir chez lui quelque temps :

– Jusqu'aux vacances, insiste Gilles.

– Au moins jusqu'aux vacances de Pâques, négocie Laure.

– Jusqu'au spectacle, demande Quentin.

M. Spencer a alors accepté, non pas de laisser Michael qui doit, lui aussi, retourner en classe, mais de revenir avec lui spécialement pour assister à la représentation de l'opéra, au mois de juin.

QUEL SUCCÈS !

Quinze heures. Il n'y a pas assez de sièges, Mme la Directrice court chercher le gardien pour lui demander de rapporter des chaises de l'école. Celui-ci lance un regard noir, il est gardien, pas déménageur !

M. Taquet fait des essais d'éclairage, les projecteurs du plafond s'allument, ceux de la rampe, ceux des côtés, puis ceux du plafond s'éteignent dans un claquement sonore.

– Il faut changer les lampes !

Mme la Directrice retourne chez le gardien, qui est parti chercher les chaises.

Panique ! Personne ne sait où sont entreposées les ampoules de rechange. Mme la Directrice fouille dans le débarras, une échelle glisse, entraîne une caisse d'outils qui tombe sur les pieds du gardien qui revient avec les chaises, son œil devient encore plus noir. Quelle idée de faire de l'opéra dans une école ! Comme si ça améliorait le niveau des élèves en grammaire et en mathématiques...

Laure a mis son costume de servante, il est très réussi. Sa mère qui a horreur de coudre, s'est donné beaucoup de mal pour qu'elle soit jolie. Elle a terminé hier soir à minuit. Le résultat est ravissant : une grande jupe rouge, un corsage **blanc** avec des manches gonflantes, un petit **tablier** de velours noir et un bonnet blanc, froncé et bordé de dentelle. Laure est contente et a entrepris de se maquiller pour être à la hauteur du costume. Julie lui a expliqué que le maquillage, pour être seyant, doit être discret.

– Ce n'est pas de la peinture, a-t-elle précisé.

Pas facile ! Vous avez déjà essayé de mettre du mascara ? La petite brosse tremble au bout des doigts, on vise les cils qui deviennent noirs et larges, comme ceux des stars, on s'admire, on recommence de l'autre côté avec prudence et on se met la brosse dans l'œil ! Ça fait très mal, on pleure, le mascara coule, les joues sont couvertes de traces noires, on prend un coton à démaquiller, on enlève le tout et on repart à zéro.

Les garçons n'ont pas ces problèmes ; la maîtresse de Laure leur a juste fardé un peu les joues pour leur donner bonne mine, car elle les trouve singulièrement pâles et fatigués.

Bertrand Legoff est superbe et radieux : son jour de gloire est arrivé. Sa mère lui a fabriqué un pourpoint avec un de ses vieux bermudas verts, dans lequel elle a enfilé des élastiques qui le serrent aux cuisses, elle a cousu un justaucorps et une toque en velours assorti. Puis, elle lui a donné un de ses collants pour faire les chausses. Le collant est trop grand, il glisse et Bertrand doit remonter ses chausses toutes les cinq minutes.

Ludovic est magistral, Quentin fait un sorcier parfait, sourcils charbonneux, robe noire de mage, amulettes au cou et aux poignets, chapeau couvert de signes cabalistiques, rictus mauvais. Seule Clothilde est mécontente, très mécontente. Bien sûr, elle a le plus beau rôle féminin. Sa robe bleu pâle et argent, son hennin pointu, son voile blanc, sont très élégants. Chacun s'extasie, tandis qu'elle songe à la scène finale où Siffroy, retrouvant ses esprits, prend dans ses bras sa fiancée et l'embrasse. Berk ! Être embrassée par Bertrand Legoff devant tout le monde, quelle honte ! Elle en pleurerait de rage.

La salle est pleine. À travers les rideaux de la scène, les acteurs distinguent leurs parents, leurs grands-mères, leurs frères et sœurs, venus les applaudir. Au premier rang, astiqué et rayonnant, Michael est assis à côté de son père. Enfin, M. le Maire arrive. Derniers bruits de chaises, raclements de gorge, toux, puis les trois coups sont frappés, la salle s'éteint, la scène s'éclaire. Silence.

Mme la Directrice prend le micro, elle raconte ce qu'elle répète chaque année : que ce spectacle est une expérience pédagogique, que les enfants se sont donnés beaucoup de mal, et encore plus M. Blaise (on veut bien la croire), elle remercie M. le Maire pour l'argent de la commune, M. le Maire-Adjoint pour son soutien, M. Blaise pour son dévouement, les maîtres et maîtresses pour leur aide, et le gardien pour les chaises et les lampes.

M. Blaise peut enfin s'installer au piano

pour attaquer l'ouverture ; le rideau se lève, la foule compacte des paysans est amassée sur la scène. Le chœur du premier acte est scandé en mesure, juste et avec force, on se croirait presque à l'opéra de Paris. Les parents sont ébahis, M. Blaise est heureux. Puis, entre le noble Siffroy (en remontant ses chausses). La voix haute et claire, Bertrand lance son couplet : pas une fausse note, M. Blaise rayonne. L'arrivée de Clothilde blonde et rougissante est très remarquée.

Ce spectacle se déroule à merveille : Aramont a pris sa voix la plus caverneuse, pour lancer un sort à Siffroy, Clothilde se lamente sur les remparts :

Ah ! Dieu, que je suis malheureuse,
Le prince dont je suis amoureuse,
Par mon père, le vil Aramont,
A été changé en mouton.

Le couplet de Laure consolant la princesse est très applaudi, mais c'est Ludovic qui a le plus de succès : harnaché, botté et casqué, la main droite brandissant son épée, la main gauche sur le cœur, il assure avec éclat :

C'est moi le preux chevalier,
Le défenseur des opprimés,

145

Le héros au noble cœur,
Qui vais les sauver du malheur.

Michael applaudit plus fort que tout le monde. Arrive la scène la plus délicate, celle du tournoi. À vrai dire, M. Blaise voulait y renoncer tant les dernières répétitions avaient été agitées. Il aurait préféré que le combat soit décrit par les paysans comme s'il se passait dans un champ, en dehors de la scène. Mais les garçons ont dit : pas de tournoi, pas d'opéra ! Le rideau se lève : huit chevaliers sur leur monture (en carton peint, recouverte de tissu et cousue à la taille de chaque acteur) sont rangés en ordre de bataille, trois rouge et or d'un côté, trois noir et or de l'autre. Ludovic en blanc argenté et Quentin-Aramont en noir. Sur leur casque, des plumets assortis se dressent fièrement. Les flashs crépitent. M. Blaise joue la marche militaire d'ouverture.

Il a été décidé qu'au premier duel, le rouge gagne, au deuxième le noir, au troisième le rouge et en dernier, bien sûr, Ludovic. Seulement, maintenant qu'il y a des spectateurs, personne n'a envie de se faire battre. Gilles et Ken entrent dans les lices. Gilles est le seul de l'équipe qui soit beau joueur. Touché au cœur par la lance

146

de Ken, il s'effondre en battant l'air de ses bras. John doit perdre le second combat contre Gaëtan et il n'en a pas envie : Gaëtan l'agace avec sa prétention. En traître, il lui enfonce sa lance dans l'estomac, Gaëtan crie :

– T'as pas le droit, c'est moi qui dois gagner.

Les parents rient. Gaëtan, vexé, saisit son épée et fonce sur John, qui l'assomme d'un coup de masse d'arme. L'assistance, debout, ovationne le vainqueur.

À partir de ce moment, M. Blaise ne contrôle plus rien.

Ludovic et Quentin attendent que la racaille ait réglé ses comptes pour entrer en piste. Quentin sait qu'il doit être vaincu, mais il est décidé à le faire payer cher au Chevalier Costaud. La lutte est sauvage, la foule des paysans et des parents crie, les combattants tombent, se relèvent, s'assomment, se redressent, s'étripent, ressuscitent, se maudissent, s'insultent et Ludovic à la fin en a assez, il achève Quentin d'un direct à la mâchoire, non prévu dans le scénario.

Victoire ! Le bien a vaincu le mal, le Prince est désensorcelé !

Clothilde rougissante (avec beaucoup de rose à joue) sort des coulisses pour recevoir le baiser du Prince. Siffroy remonte ses

148

chausses et se penche vers sa fiancée qui, décidément trop allergique à son prétendant, éternue un grand coup. Son hennin vacille, glisse et tombe sur le nez de Siffroy qui en reste les bras ballants.

M. Blaise attaque très fort au piano le final et l'ensemble de la troupe entonne :

Le sorcier est enfin chassé,
Nous allons retrouver la paix,
Merci au noble chevalier,
Que la Princesse et le bon Prince,
Nous restent de longues années.

Les spectateurs en délire et pleurant de rire applaudissent à tout rompre. La troupe se rassemble sur la scène pour saluer, chacun voulant se mettre au premier rang pour qu'on le voit bien, sauf Clothilde qui a filé se cacher dans les coulisses. M. Blaise est presque porté en triomphe, Michael saute de joie, debout sur son siège. Les comédiens s'égaient dans les rangs de l'assistance, les parents sont très fiers et M. le Maire très content.

Mais les plus heureux de tous sont les neufs « sauveurs » de Michael.

M. Spencer vient de les inviter à passer la journée du lendemain au parc Astérix.

– On pourra monter dans le bateau ivre ? demandent les jumeaux.

– Et dans le train fantôme ?

– Est-ce qu'il y a un grand huit ? s'enquiert Ludovic.

– Et du tir à la carabine ? questionne Quentin.

Le père de Michael promet qu'ils monteront dans tous les manèges et essaieront toutes les attractions permises pour leur âge. C'est vraiment super !

Maintenant, la bande des neuf espère découvrir un autre jeune Américain kidnappé (pour de vrai cette fois-ci), et le faire évader.

Pour les remercier, ses parents (richissimes bien sûr) les inviteront peut-être à Disneyland... Qui sait ?

Cascade

LE SÉMAPHORE

Encore appelé télégraphe optique, le sémaphore permet de communiquer à distance lorsqu'il n'y a pas d'autres relations possibles.

LES MÉTIERS DU THÉÂTRE

DIRECTEUR : Comme son nom l'indique, il dirige l'entreprise qu'est son théâtre. Il choisit pièce, collaborateurs... pour que les représentations soient un succès.

ACTEUR/ACTRICE : Artistes dont la profession est de jouer un rôle dont ils apprennent le texte par cœur, qu'ils répètent longuement suivant les indications du metteur en scène.

METTEUR EN SCÈNE : Assure la représentation sur scène d'une œuvre en indiquant déplacements, intonations, gestes, jeux des acteurs.

RÉGISSEUR : Il s'occupe de régler tous les détails matériels et techniques des représentations.

DÉCORATEUR : Il dirige l'exécution des décors du spectacle après en avoir réalisé dessins et maquettes.

COSTUMIER : Réalise les costumes (parfois conçus par le décorateur) et devient habilleur, aidant les acteurs, lors de la représentation.

MAQUILLEUR : Spécialiste du maquillage pour que les visages en particulier prennent bien la lumière.

ACCESSOIRISTE : Recherche ou construit puis rassemble tous les accessoires nécessaires à la pièce. Il faut être un peu truqueur pour qu'une barrique par exemple semble lourde pour le spectateur et soit légère pour l'acteur.

ÉCLAIRAGISTE : S'occupe des éclairages, de placer les projecteurs, filtres... puis commande le jeu d'orgues, pupitre d'où l'on règle intensité lumineuse et couleurs.

MACHINISTE : Est responsable du bon fonctionnement du décor, du plateau.

SOUFFLEUR : Personne chargée de prévenir le trou de mémoire d'un acteur en lui « soufflant » son texte.

FIGURANT : Personne remplissant un rôle secondaire et généralement muet ou presque.

JEUX DE CARTES

L'origine des jeux de cartes est très ancienne. Connus en Chine vers le xe siècle, ils arrivent en Europe au xive siècle et s'y répandent très vite. Les tarots apparaissent en Italie au xve siècle.
En Inde, on peint encore les cartes généralement rondes, à la main.
Les jeux de cartes les plus connus sont :
— la bataille : inventée vers 1820.
— la belote : originaire d'Europe centrale et de Hollande. Elle est pratiquée par 35 millions de français.
— le bridge : le principe du jeu est né au xve siècle, avec le tarot. Au xviie siècle, on joue en Angleterre au whist, dont les règles évolueront peu à peu pour devenir le bridge en 1885.
— la canasta : inventée en Uruguay vers 1940.
— la manille : originaire d'Espagne, elle est très populaire au xixe siècle.
— le poker : est né en Louisiane au xixe siècle.
Et de nombreux autres jeux : baccara, black-jack (ou vingt et un) écarté, huit américain, nain jaune, piqué, rami.

POUR ÊTRE
UN PREUX CHEVALIER

Armes et armures

Au Moyen Âge, les jeunes nobles sont d'abord écuyers. Puis, après un entraînement intensif, ils deviennent chevaliers au cours de la cérémonie d'adoubement.

Le chevalier reçoit alors ses armes et son armure (très lourde) :

• *son épée* : longue d'un mètre, elle pèse environ deux kilos, c'est l'alliée fidèle du chevalier qui lui donne parfois un nom, ainsi Roland combat avec Durandal, et le roi Arthur avec Excalibur ;

• *un heaume*, casque de métal comportant deux fentes pour les yeux ;

• *un haubert*, ou cotte de mailles, tunique en mailles de fer qui protège le torse ;

• *des chausses de cuir ou de mailles de fer*, qui recouvrent les jambes ;

• *un écu*, bouclier orné des armoiries du chevalier. Ce dessin indique à quelle famille noble ou quelle armée il appartient ;

• *une lance* ;

• et bien sûr *un cheval*, appelé aussi destrier, car il est amené par un écuyer qui le tient de la main droite.

L'entraînement et les tournois

Le chevalier s'exerce aux combats à cheval avec le jeu de la quintaine : le cavalier doit renverser un mannequin d'osier à l'aide d'une lance.

Il peut montrer son adresse au cours des tournois. Les chevaliers s'affrontent alors un contre un dans un pré, le champs clos, entouré de tentes d'où les admirent les spectateurs. Ces joutes sont l'occasion de grandes fêtes avec festin, danses et jongleries.

L'idéal des chevaliers

Les chevaliers doivent se montrer loyaux, généreux, braves et vaillants, et combattre pour protéger les faibles.

Si tu as envie de lire les exploits des chevaliers, tu peux te plonger dans les récits des *Chevaliers de la Table ronde*. Tu peux également aller admirer leurs armures au musée de l'Armée situé à l'hôtel des Invalides, à Paris.

POUR ENVOYER DES MESSAGES

Afin de faciliter les communications à distance, marins, aviateurs, télégraphistes, etc. utilisent des codes spéciaux.

SIGNALISATION PHONÉTIQUE INTERNATIONALE

C'est l'alphabet international que tous les pilotes d'avions utilisent avec les tours de contrôle.

A	alpha	B	bravo	C	charlie
D	delta	E	écho	F	fox-trot
G	golf	H	hôtel	I	india
J	juliet	K	kilo	L	lima
M	mike	N	november	O	oscar
P	papa	Q	quebec	R	roméo
S	sierra	T	tango	U	uniform
V	victor	W	whisky	X	x-ray
Y	yankee	Z	zulu (prononcer zoulou)		

AU TÉLÉPHONE

Pour éviter les erreurs dans l'orthographe des noms propres et des mots difficiles, on les épèle en remplaçant chaque lettre par un prénom.
A comme Anatole, B Berthe, C Célestin, D Désiré, E Eugène, F François, G Gaston, H Henri, I Irma, J Joseph, K Kléber, L Louis, M Marcel, N Nicolas, O Oscar, P Pierre, Q Quintal, R Raoul, S Suzanne, T Thérèse, U Ursule, V Victor, W William, X Xavier, Y Yvonne, Z Zoé.

L'AUTEUR

CATHERINE MISSONNIER est économiste dans une Agence d'Urbanisme où elle essaie de mener à bien les projets d'aménagement (logements, collèges, centres de loisirs...) de plusieurs communes.
Mariée et mère de quatre enfants de 9 à 18 ans, elle vit en grande banlieue parisienne.
Confrontée à l'emploi du temps des femmes qui travaillent et ont une famille assez nombreuse, elle retenait depuis longtemps l'envie de concrétiser une passion ancienne : « écrire des histoires ».
Est-ce l'imagination et la vitalité particulière de sa dernière fille, Laure, qui l'ont finalement décidée ? C'est en tout cas elle et sa bande – bien réelle – de copains qui ont inspiré « Superman contre CE 2 », son premier roman et cette nouvelle enquête des élèves du CE 2.

L'ILLUSTRATEUR

ALAIN KORKOS est né en 1955 à Paris. Après avoir réalisé des bandes dessinées pendant plusieurs années, il se partage maintenant entre le dessin de presse et l'illustration pour enfants.
Son sujet favori est la ville avec ses vieux immeubles et ses maisons de maître, ses impasses et ses ponts, ses quais de gare et ses docks chargés de secrets, de mystère et de drame.
Quand il ne dessine pas, il essaie désespérément de jouer du blues sur une guitare électrique rouge.

COLLECTION Cascade

7 - 8